LES INDISPENSABLES

DU MÊME AUTEUR
CHEZ ODILE JACOB

Les Indispensables astronomiques et astrophysiques pour tous, 2009.

Einstein, un siècle contre lui, 2007.

SUR INTERNET

Blog de sciences www.indispensables.net

ALEXANDRE MOATTI

LES INDISPENSABLES

Mathématiques et physiques pour tous

Préface de Jean-Louis Basdevant

15, RUE SOUFFLOT, 75005 PARIS

www.odilejacob.fr

ISBN : 978-2-7381-1722-9

À mes instituteurs de l'École primaire de garçons
de Saint-Brice-sous-Forêt (Val-d'Oise)

Préface

En 2005, année de la physique, j'ai eu la chance d'être invité à parler de mécanique quantique à des lycéens, voire à des collégiens. Au début, j'y voyais une sorte d'acrobatie sans filet dont je ne savais pas bien ce qu'elle donnerait. Mais, avec un ou deux gestes, à l'aide d'images bien réelles (pas de métaphores), à l'aide de la capacité d'émerveillement devant les faits expérimentaux et avec quelques rires pour bien ancrer les choses, je m'aperçus que la méthode était bonne. Les lycéens comprenaient vite que cette réalité-là était véritablement un bouleversement si on avait eu à l'appliquer à nous-mêmes. Je vis, avec une certaine joie, je l'avoue, que ces jeunes esprits, non pollués par la coquetterie, frais et curieux, comprenaient très bien, eux aussi, grâce à cette addition, les mystères et merveilles de cette aventure. Au point que, plusieurs fois, ils m'ont poussé dans mes retranchements par la pertinence et la profondeur de leurs questions.

Lorsque Alexandre Moatti m'a donné à lire ses *Indispensables*, je me suis presque retrouvé à la place de ces lycéens. Je me suis laissé entraîner dans la délectation de redécouvrir, parfois découvrir, les merveilles de la création scientifique moderne. J'aime ces expressions : « Une odyssée dans la science », « Dures les sciences dures ? », « Anthologie des plus belles pages de la science », car elles résument l'essentiel de la réflexion que j'ai eue sur la science moderne et son contenu culturel pendant tant d'années. Elles décrivent, sans concession à la mauvaise métaphore ou à l'envolée poétique, cette merveilleuse aventure qu'Einstein appelait l'effort extraordinaire et constamment renouvelé de l'esprit humain pour trouver, dans le monde des idées, celles qui correspondent au monde des phénomènes.

Et les mathématiques, me dira-t-on ? Quel rapport avec le monde des phénomènes ? On peut, par exemple, lire le passionnant dialogue de Jean-Pierre Changeux et Alain Connes *Matière à penser*[1]. Là, précisément, mais ce n'est qu'un point de vue, si j'ai toujours eu une passion pour ce sujet inépuisable qu'est la nature des mathématiques, j'ai été émerveillé par la réponse lumineuse que m'a faite Jean-Michel Bony : « Les mathématiques sont un outil que l'esprit de l'homme ne cesse de construire et de perfectionner afin de comprendre le monde. » Je me suis rappelé immédiatement une phrase attribuée à Aristoxène : « Un mérite de Pythagore est d'avoir élevé l'arithmétique au-dessus des besoins des marchands. Il a transformé un ensemble de recettes empiriques utilitaires en une science démonstrative. » J'ai vu le mathématicien, tel un homme des cavernes cassant ses silex, affûtant des outils de plus en plus longs, de plus en plus tranchants ou contondants, qui serviront, il le sait, même si l'on ne sait ni quand ni comment.

C'est exactement ce que fait Alexandre Moatti. Il nous mène d'emblée dans cette direction. Et, à mes yeux, sa qualité première est d'avoir su tout ramener à l'essentiel, c'est-à-dire des choses subtiles mais simples. Je sais la difficulté de l'entreprise.

La première moitié de son livre est consacrée aux mathématiques, plus particulièrement les nombres, la logique, la notion de démonstration. Ces mots semblent fades, bien entendu, ce n'est qu'en pénétrant le livre que l'on en découvre la merveille. Savoir, par exemple, élever des problèmes hôteliers, si je puis dire, au rang de démonstrations de la théorie des ensembles. L'écriture est pure,

1. Odile Jacob, 2000.

elle ne laisse que peu de part aux ornements inutiles, tout juste ce qu'il faut pour soutenir l'argumentation. Et l'on arrive tout naturellement à cette immense découverte de Gödel sur les limites de la logique, un sommet que, quelques pages auparavant, on croyait inaccessible. Ce n'est pas un mince mérite que d'avoir ainsi écrit un texte où certains pourront retrouver, car ils l'avaient déjà appris, ce qu'ils avaient mis un effort colossal à comprendre, et dont la vie les a un peu éloignés. D'autres y trouveront, s'ils le veulent, ce qui fait le bagage culturel de l'honnête homme d'aujourd'hui.

La deuxième partie du livre d'Alexandre Moatti est consacrée à la physique. C'est une véritable « anthologie » de la physique, dans le sens que ce sont des morceaux choisis, au goût de l'auteur, qui ont tous un lien, tant dans l'évolution des idées que dans celle des technologies. Alexandre Moatti y fait preuve tout à la fois d'une étonnante virtuosité intellectuelle et d'une grande culture. La mécanique quantique y figure en bonne place, bien entendu, mais que de choses étonnantes l'ont précédée ! Du pendule de Foucault aux premières mesures de la vitesse de la lumière, on vibre littéralement devant l'ingéniosité de ces êtres humains, devant leur curiosité, leurs interrogations et leur méthode. Puis, l'étonnant saut en avant de la physique contemporaine depuis vingt-cinq ans qu'est le fondement théorique et observationnel de la cosmologie, c'est-à-dire de la naissance de l'Univers, dans le cadre la théorie du big bang (avec un titre provocateur que l'on doit savourer chacun à sa façon). Enfin, les fractales et le chaos de Poincaré, revigoré depuis 1963 par Edward Lorenz et les météorologistes, apportent la cerise sur le gâteau.

Là se trouve une leçon, pour moi, tout aussi importante dans le contenu culturel de la science tel que nous le propose Alexandre Moatti. En physique, on peut se tromper mais on ne peut pas mentir. Et c'est ça l'intérêt de la physique. Le réel a toujours raison. Si les idées qu'on a sont contraires à ce qu'on voit, il faut en trouver d'autres. On ne peut pas changer le réel par des discours. Certains y verront peut-être une boutade, voire une évidence. Qu'ils réfléchissent au monde tel que nous le préparons pour le laisser à d'autres.

Entre les lignes, on découvre en Alexandre Moatti plus qu'un homme talentueux et cultivé, un véritable humaniste. Il y en a trop peu qui se manifestent actuellement et qui mettent en application cette capacité.

Jean-Louis Basdevant
Professeur honoraire de l'École polytechnique
Paris, mai 2011

Avant-propos

Dures les sciences dures ?
Une odyssée de la science.

J'ai choisi de naviguer dans les sciences pour montrer comment certaines notions de base, mathématiques ou physiques, sont tout à fait abordables et passionnantes, y compris dans leur formulation ou leur démonstration.

C'est un choix arbitraire auquel je me suis livré : comme il existe des anthologies de la poésie, voici ce qui pourrait être une anthologie de la science.

Les chapitres 1 à 10 concernent plus spécifiquement les mathématiques, notamment l'arithmétique (chapitres 1 à 5), la géométrie (chapitres 6 à 8), la logique (chapitre 9), les probabilités (chapitre 10). Je n'évoque ni l'algèbre avancée ni l'analyse qui sont d'un haut niveau conceptuel y compris leurs outils de démonstration ; la logique est elle aussi d'un haut niveau conceptuel, mais reste accessible dans un langage mathématique compréhensible.

Les chapitres 11 à 19 concernent plus spécifiquement la physique. Le fil directeur en est la lumière : son étude dans les siècles précédents donne lieu au début du XXe siècle à la naissance des deux théories révolutionnaires de la physique, la relativité et la mécanique quantique. Un second fil directeur en est aussi le mouvement relatif, sujet très présent bien avant la théorie de la relativité restreinte.

Les chapitres 20 et 21 abordent deux notions de la seconde moitié du XXe siècle, à la frontière des mathématiques et de la physique, les courbes fractales et la théorie du chaos. Même si ce ne sont pas les branches les plus importantes de la science à ce jour, elles m'ont paru aisément s'enchaîner avec les autres et intellectuellement stimulantes.

J'ai aussi choisi ces différents thèmes pour montrer que les sciences progressent par fertilisation croisée, en voici quelques exemples :

• les géométries non euclidiennes (chapitre 8) sont utilisées dans la théorie de la relativité (chapitre 14) ;

• des conjectures d'arithmétique (chapitre 4) illustrent des théorèmes de logique (chapitre 9) ;

• les nombres entiers (chapitre 2) sont au cœur de la discontinuité quantique (chapitre 18) ;

• les nombres rationnels (chapitre 2) apparaissent dans les ondes musicales (chapitre 12) ;

• le nombre π (chapitre 7) apparaît dans la théorie des nombres en tant que premier nombre transcendant connu (chapitre 2) ou dans les probabilités (chapitre 10) ;

• les probabilités (chapitre 10) sont utilisées comme outils descriptifs de la physique quantique (chapitre 18) ;

• les courbes fractales, constructions au départ purement géométriques (chapitre 20) apparaissent dans les développements astrophysiques de la théorie du chaos (chapitre 21).

Soulignons aussi l'importance de la science dans la technologie : le génial expérimentateur et inventeur Foucault ne fut pas uniquement l'inventeur du pendule aussi inutile que démonstratif (chapitre 11), mais aussi celui du gyroscope, petit outil au départ démonstratif comme le pendule (il indique une rotation indépendante de celle de la terre), maintenant utilisé comme compas dans les bateaux ou comme boussole dans les fusées et les avions !

Réciproquement, la technologie paie bien sa dette à la science. C'est grâce à de nouveaux outils de laboratoire que le troisième test de la relativité générale ou la résolution du paradoxe EPR (qu'on peut assimiler à un test de la physique quantique) ont pu être effectués, quarante ans après leur conception (chapitre 19) ! C'est aussi grâce à l'ordinateur que des conjectures mathématiques peuvent être résolues (théorème des quatre couleurs, chapitre 4), ou que des systèmes chaotiques peuvent être mis en évidence et étudiés (chapitre 21).

Ce décalage entre les concepts scientifiques de précurseurs géniaux et la possibilité de vérification expérimentale venant longtemps après ne laisse pas d'étonner et donne foi en la science théorique : la relativité générale (chapitre 15) est en sommeil entre 1925 et 1960 avant de trouver d'éclatantes vérifications et applications ; la théorie du chaos (chapitre 21), modélisée par Poincaré en 1898, trouve son premier domaine d'application dans la météorologie en 1963 ; dans une moindre mesure, la théorie de la déflection de la lumière des astronomes anglais du XVIIIe siècle (chapitre 13) trouve une certaine légitimation avec la relativité générale en 1919...

Dans cet aller-retour plus ou moins rapide mais constant entre science et technologie, entre théorie et expérience, il faut aussi mentionner les erreurs d'expérience, les artefacts de manipulations qui donnent lieu instantanément à de riches et nouvelles théories : Röntgen et son matériau rendu fluorescent par de nouveaux rayons en 1895, Becquerel et sa plaque photographique impressionnée par les rayons uraniques en 1896 (chapitre 17), Lorenz et son programme informatique repris en cours de route en 1963 (chapitre 21).

J'aborde aussi la notion d'incertitude dans la science, grande découverte des scientifiques du XXe siècle, certes en physique mais de manière plus surprenante en mathématiques aussi. On ne peut qu'être frappé de cette véritable *découverte* de l'incertitude dans le monde du XXe siècle, qu'on pourrait qualifier de siècle de l'incertitude, où les limites de la connaissance ont été approchées :

• Principe de relativité restreinte (Einstein 1905) : remise en cause de la notion de temps absolu.

• Mécanique ondulatoire (de Broglie 1923) : la lumière – et la matière – sont à la fois onde et corpuscule.

• Principe d'indétermination (Heisenberg 1926) : la description de la matière est nécessairement probabiliste.

• Théorème d'indécidabilité (Gödel 1931) : tout ce qui est vrai n'est pas forcément démontrable, et *vice versa*.

• Théorie du chaos : un système déterministe n'est pas forcément prédictible.

Citons à ce propos le philosophe des sciences Bertrand Russell (bibliographie [20]) : « Il est curieux de constater – et la relativité n'est pas la seule à nous le montrer – qu'à mesure que le raisonnement progresse, il prétend de moins en moins être à même de prouver. »

Enfin, ce parcours des sciences est aussi un voyage dans l'Europe intellectuelle et scientifique du XVIIe au XXe siècle, où les idées circulaient entre grands pays européens, confrontant les grandes traditions scientifiques nationales :

• La France et ses mathématiciens sur toute la période (de Fermat et Descartes à Poincaré), mais aussi ses physiciens et astronomes dans la première moitié du XIXe siècle (Arago, Coriolis, Fizeau, Fresnel, Foucault...).

• L'Allemagne et son école de physique qui prend le relais à la fin du XIXe siècle, avec le jaillissement de concepts ayant suivi ou précédé les deux articles fondateurs d'Einstein en 1905 : citons des physiciens théoriciens comme Planck, Boltzmann, Heisenberg, mais aussi de brillants physiciens expérimentaux comme Röntgen, Hertz...

• La Grande-Bretagne avec Newton le fondateur de la mécanique, et dans son sillage des astronomes et physiciens sur toute la période : Bradley et l'angle d'aberration de la lumière, Michell et les corps obscurs ancêtres des trous noirs, Young et les franges d'interférence lumineuse, Maxwell et les équations de l'électromagnétisme, Eddington et la vérification en 1919 de la relativité générale...

• L'Italie avec le géant Galilée ; et aussi un certain nombre d'autres pays où sont apparus de très grands scientifiques : la Pologne avec Copernic, le Danemark depuis Römer au XVIIe siècle (qui mesura en premier la vitesse de la lumière) jusqu'à Bohr au XXe siècle, les Pays-Bas avec Hendrik Lorentz...

Le Nouveau Monde n'apparaît que tardivement dans l'histoire des sciences ; la physique au début du XXe siècle était allemande, elle deviendra américaine à partir de 1935.

Ce parcours des sciences mathématiques et physiques a pour but de montrer comment des notions scientifiques fondamentales peuvent être formulées, et pas seulement exprimées, de manière simple. C'est justement le pari qui a été fait d'utiliser une formulation scientifique simple[1] : à titre d'exemple est conduit le calcul relativiste de correction des horloges dans le GPS, simple et d'application pratique, sans utilisation des formules de tenseurs de la relativité générale qui n'auraient pas leur place ici.

Puisse cet opuscule donner envie au lecteur de se plonger dans la bibliographie et d'approfondir ainsi les sujets qui lui auront plu au hasard de ce parcours !

Alexandre Moatti

1. Les seules opérations mathématiques utilisées sont les quatre opérations élémentaires, et l'élévation à la puissance ; aucun calcul différentiel ou intégral n'est fait, apparaissent deux fois des signes de dérivée ou d'intégrale à titre d'exposé uniquement (système différentiel du chaos, fonction d'onde de Schrödinger).

CHAPITRE 1

Pythagore et les nombres irrationnels

On raconte que Pythagore, célèbre pour son théorème du triangle rectangle (« le carré de l'hypoténuse est égal à la somme des carrés des deux autres côtés »), ne put admettre la découverte par un de ses disciples de l'existence de nombres irrationnels : celui-ci avait trouvé de manière simple un nombre irrationnel, $\sqrt{2}$, égal à la longueur de la diagonale d'un carré de côté 1, par application directe du théorème de son maître !

Qu'est-ce qu'un nombre rationnel ?

Un nombre rationnel est un nombre qui s'écrit sous la forme d'une fraction $\frac{a}{b}$, où a et b sont entiers.

• Il peut avoir un nombre fini de chiffres après la virgule, par exemple $\frac{1}{2} = 0{,}5$.

• Il peut aussi avoir un nombre infini de chiffres après la virgule, par exemple $\frac{1}{6} = 0{,}16666...$

• Tout nombre rationnel a un développement décimal périodique (soit un nombre de chiffres fini, soit un nombre de chiffres infini avec un motif périodique à partir d'un certain rang ; par exemple $\frac{6}{7}$ = 0,857142857142857142...) ; réciproquement, tout nombre ayant un développement décimal périodique à partir d'un certain rang est rationnel.

• La fraction selon laquelle s'exprime un nombre rationnel peut être simplifiée au maximum, par exemple $\frac{10}{6} = \frac{5}{3}$, cette dernière étant la forme « irréductible ».

Exprimons à présent un nombre rationnel sous sa forme irréductible $\frac{a}{b}$; le fait que cette fraction ne peut être simplifiée signifie que les deux nombres entiers a et b sont « premiers entre eux », c'est-à-dire qu'ils n'ont aucun diviseur commun.

Deux nombres « premiers entre eux » ne sont pas forcément tous les deux des nombres premiers :

• 5 et 3 sont tous les deux des nombres premiers, ils sont donc premiers entre eux.

• 9 et 20 ne sont ni l'un ni l'autre premiers, et pourtant ils sont « premiers entre eux » ; ils n'ont pas de diviseur commun autre que 1 ; la fraction $\frac{9}{20}$ ne peut être simplifiée.

La diagonale du carré, $\sqrt{2}$, est un nombre irrationnel[1]

On illustre ici une des plus intéressantes démarches mathématiques, « le raisonnement par l'absurde » : on va supposer que $\sqrt{2}$ est un nombre rationnel, et arriver à un résultat absurde ou impossible. On aura ainsi démontré que $\sqrt{2}$ est un nombre irrationnel, c'est-à-dire non rationnel.

1. Les mathématiques utilisent souvent de manière imagée des adjectifs ayant des sens différents dans le langage commun, comme ici les termes « rationnel » et « irrationnel », ou dans le chapitre suivant les termes « dense », « discret », « transcendant ».

On suppose que $\sqrt{2}$ est rationnel, soit $\sqrt{2} = \frac{a}{b}$, où a et b sont des nombres entiers, premiers entre eux (forme irréductible de la fraction). On élève cette équation au carré. Cela donne $a^2 = 2 \times b^2$, donc a^2 est pair.

Le fait que a^2 est pair nous permet de déduire que a est pair pour la raison suivante :

- Le carré d'un nombre pair $a = 2 \times c$ s'écrit $a^2 = 4 \times c^2$, il est divisible par 4 donc pair.
- Le carré d'un nombre impair $a = 2 \times c + 1$ s'écrit $a^2 = 4 \times c^2 + 4 \times c + 1$, il est donc impair.
- Le carré d'un nombre pair est toujours pair, le carré d'un nombre impair est toujours impair.

Comme a est pair, on écrit $a = 2 \times c$ et l'identité initiale $\sqrt{2} = \frac{a}{b}$ devient $\sqrt{2} = \frac{2 \times c}{b}$, ce qui peut s'écrire $\sqrt{2} = \frac{b}{c}$.

- On élève comme ci-dessus cette équation au carré, on a $b^2 = 2 \times c^2$; b est donc pair.
- Or il est impossible que a et b soient pairs tous les deux, car dans ce cas la forme initiale $\frac{a}{b}$ pourrait être simplifiée : on aboutit donc à un résultat impossible.
- Le postulat de base $\sqrt{2} = \frac{a}{b}$, avec a et b premiers entre eux, est faux, donc $\sqrt{2}$ est irrationnel.

La diagonale du carré, $\sqrt{2}$, est un nombre irrationnel (bis)

On utilise ici une autre démonstration, plus conceptuelle, montrant ainsi la richesse des mathématiques où plusieurs chemins sont possibles pour arriver au but !

Cette démonstration consiste à remarquer que le carré d'un nombre rationnel $\frac{a}{b}$, avec a et b premiers entre eux, est un nombre rationnel qui peut s'écrire $\frac{a^2}{b^2}$. Cette forme est irréductible car a^2 et b^2 sont premiers entre eux : si deux nombres sont premiers entre eux, leurs carrés le sont aussi.

• Si un nombre q est rationnel (s'écrivant sous la forme irréductible $q = \frac{a}{b}$), alors son carré q^2 s'écrit sous la forme irréductible $\frac{a^2}{b^2}$.

• Or 2 s'écrit sous la forme irréductible $\frac{2}{1}$ qui n'est pas le quotient de deux carrés $\frac{a^2}{b^2}$, puisque 2 n'est pas un carré parfait : donc $\sqrt{2}$ n'est pas rationnel.

• Cette démonstration est aussi valable pour $\sqrt{3}$, $\sqrt{5}$, $\sqrt{7}$...

CHAPITRE 2

L'hôtel de Hilbert l'infini et le transfini

Le cardinal d'un ensemble est le nombre d'éléments qu'il contient. Le cardinal de l'ensemble formé par les jours de la semaine est sept.

Un ensemble peut être de cardinal infini. Par exemple, on énumère les nombres entiers positifs sans fin les uns après les autres de manière ordonnée : 1, 2, 3, 4... Les mathématiques parlent dans ce cas d'« infini discret ».

La notion d'infini est moins évidente lorsqu'il s'agit, par exemple, de l'ensemble des nombres réels ou de l'ensemble des points d'une droite, ou même d'un segment : on ne peut pas énumérer leurs éléments de manière ordonnée. Entre deux points d'un segment, aussi près soient-ils, on en trouvera toujours un autre.

Les mathématiques parlent dans ce cas d'« infini dense » (par opposition à l'infini « discret »), et introduisent dans le langage un terme spécifique, le « transfini », plus grand que l'infini.

Hilbert et son hôtel particulier

L'hôtel de Hilbert est un hôtel particulier, il a un nombre infini de chambres numérotées à partir de 1, et chacune d'elles est occupée. Amusons-nous aux deux jeux suivants[1].

Jeu A

Un client arrive et souhaite une chambre. Hilbert lui dit : « Pas de problème ! » ; effectivement il trouve une chambre au nouvel arrivant. Comment ?

Jeu B

Une infinité de clients arrivent et tous souhaitent une chambre. Hilbert leur dit : « Pas de problème ! » ; effectivement il trouve une chambre à chacun des nouveaux arrivants. Comment ?

Solution

• Jeu A : Hilbert demande au client de la chambre n° 1 de prendre la chambre n° 2, au client de la chambre n° 2 de prendre la chambre n° 3, etc. La chambre n° 1 se libère donc et il l'offre au nouvel arrivant.

• Jeu B : Hilbert demande au client de la chambre n° 1 de prendre la chambre n° 2, au client de la chambre n° 2 de prendre la chambre n° 4, etc. Toutes les chambres à numéro impair se trouvent donc libres, il y loge tous les nouveaux arrivants, en nombre infini.

• En rappelant que la notation ∞ s'applique à l'infini[2], on a illustré le fait que $\infty + 1 = \infty$ (jeu A) et que $\infty + \infty = \infty$ (jeu B).

---

1. Pour nos lecteurs qui voudraient poser ces devinettes à leur entourage, on conseille de commencer par la première, puis la seconde, et dans les deux cas de donner l'indication de résolution suivante : « Pour ce faire, l'hôtelier Hilbert peut demander à chacun des clients résidant à l'hôtel de changer de chambre ».
2. M. Boll *in* (Bibliographie [1]) attribue cette notation au mathématicien anglais Wallis (1655).

Il y a autant de fractions que d'entiers !

On appelle « ensemble dénombrable » un ensemble dont on peut énumérer un à un les éléments, c'est-à-dire qu'il peut être mis en relation biunivoque avec l'ensemble $\mathbb{N}$ des nombres entiers positifs : chaque élément de l'ensemble peut être associé à un entier naturel de $\mathbb{N}$.

L'ensemble $\mathbb{Z}$ des entiers relatifs (positifs ou négatifs) peut être mis en relation biunivoque avec $\mathbb{N}$ par la méthode de dénombrement suivante :

$\mathbb{Z}$:	0	– 1	1	– 2	2	– 3	3	– 4	4	– 5	5	– 6
$\mathbb{N}$:	0	1	2	3	4	5	6	7	8	9	10	11

Ainsi chaque entier positif n de $\mathbb{Z}$ est associé à $(2 \times n)$ dans $\mathbb{N}$, chaque entier négatif – n de $\mathbb{Z}$ est associé à $(2 \times n - 1)$ dans $\mathbb{N}$; on retrouve la deuxième variante de l'hôtel de Hilbert (arrivée dans l'hôtel $\mathbb{N}$ d'une infinité de nouveaux occupants qui sont les nombres entiers négatifs). $\mathbb{Z}$ est dénombrable et de même cardinal que $\mathbb{N}$ (bien qu'il contienne en apparence deux fois plus de nombres...).

L'ensemble $\mathbb{K}$ des carrés des nombres entiers positifs peut être mis en relation biunivoque avec $\mathbb{N}$ par la méthode de dénombrement suivante :

$\mathbb{K}$:	0	1	4	9	16	25	36	49	64	81	100	121
$\mathbb{N}$:	0	1	2	3	4	5	6	7	8	9	10	11

À chaque nombre, on peut associer son carré : c'est le paradoxe de Galilée, à savoir qu'« il y a autant de carrés parfaits que de nombres entiers ».

Plus surprenant encore, l'ensemble $\mathbb{Q}$ des nombres rationnels peut être mis en relation biunivoque avec $\mathbb{N}$ par la méthode de dénombrement suivante :

	1	**2**	**3**	**4**	**5**	**6**	**7**	**8**	**Etc.**
1	1	2	3	4	5	6	7	8	
2	$\frac{1}{2}$		$\frac{3}{2}$		$\frac{5}{2}$		$\frac{7}{2}$		
3	$\frac{1}{3}$	$\frac{2}{3}$		$\frac{4}{3}$	$\frac{5}{3}$		$\frac{7}{3}$	$\frac{8}{3}$	
4	$\frac{1}{4}$		$\frac{3}{4}$		$\frac{5}{4}$		$\frac{7}{4}$		
5	$\frac{1}{5}$	$\frac{2}{5}$	$\frac{3}{5}$	$\frac{4}{5}$		$\frac{6}{5}$	$\frac{7}{5}$	$\frac{8}{5}$	
6	$\frac{1}{6}$				$\frac{5}{6}$		$\frac{7}{6}$		
7	$\frac{1}{7}$	$\frac{2}{7}$	$\frac{3}{7}$	$\frac{4}{7}$	$\frac{5}{7}$	$\frac{6}{7}$		$\frac{8}{7}$	
8	$\frac{1}{8}$		$\frac{3}{8}$		$\frac{5}{8}$		$\frac{7}{8}$		
Etc.									

Dans le sens horizontal du tableau se trouvent les numérateurs des rationnels, et dans le sens vertical les dénominateurs ; on élimine au passage les fractions réductibles équivalentes à des fractions déjà rencontrées (symbolisées ici par des cases blanches). On décrit ainsi dans ce tableau la totalité des nombres rationnels (ensemble $\mathbb{Q}$).

Le dénombrement de $\mathbb{Q}$ se fait par la règle suivante :

- $\frac{p}{q}$ est classé avant $\frac{p'}{q'}$ si $p + q < p' + q'$
- dans le cas où $p + q = p' + q'$, $\frac{p}{q}$ est classé avant $\frac{p'}{q'}$ si $p < p'$

(par exemple $\frac{3}{4}$ est classé avant $\frac{5}{2}$, $3 + 4 = 5 + 2$ mais $3 < 5$)

	1	**2**	**3**	**4**	**5**	**6**	**7**	**8**	**Etc.**
1	1 **1**	2 **3**	3 **5**	4 **9**	5 **11**	6 **17**	7 **21**	8 **27**	
2	$\frac{1}{2}$ **2**		$\frac{3}{2}$ **8**		$\frac{5}{2}$ **16**		$\frac{7}{2}$ **26**		
3	$\frac{1}{3}$ **4**	$\frac{2}{3}$ **7**		$\frac{4}{3}$ **15**	$\frac{5}{3}$ **20**		$\frac{7}{3}$	$\frac{8}{3}$	
4	$\frac{1}{4}$ **6**		$\frac{3}{4}$ **14**		$\frac{5}{4}$ **25**		$\frac{7}{4}$		
5	$\frac{1}{5}$ **10**	$\frac{2}{5}$ **13**	$\frac{3}{5}$ **19**	$\frac{4}{5}$ **24**		$\frac{6}{5}$	$\frac{7}{5}$	$\frac{8}{5}$	
6	$\frac{1}{6}$ **12**				$\frac{5}{6}$		$\frac{7}{6}$		
7	$\frac{1}{7}$ **18**	$\frac{2}{7}$ **23**	$\frac{3}{7}$	$\frac{4}{7}$	$\frac{5}{7}$	$\frac{6}{7}$		$\frac{8}{7}$	
8	$\frac{1}{8}$ **22**		$\frac{3}{8}$		$\frac{5}{8}$		$\frac{7}{8}$		
Etc.									

On trouve ainsi un « chemin » (chiffres indiqués en gras, en bas à droite de chaque case) dans $\mathbb{Q}$ permettant d'énumérer les nombres rationnels. Ce n'est pas illogique car $\mathbb{Q}$ est défini à partir de $\mathbb{N}$. On appelle $\aleph_0$ (aleph 0) le cardinal des ensembles de même cardinal que $\mathbb{N}$: $\mathbb{N}$ lui-même, l'ensemble des carrés parfaits $\mathbb{K}$, $\mathbb{Z}$, $\mathbb{Q}$...

Les cardinaux transfinis

L'ensemble $\mathbb{R}$ des nombres réels (comprenant les irrationnels, voir chapitre 1) n'est pas dénombrable. C'est un ensemble « plus grand » que $\mathbb{N}$, $\mathbb{Z}$ ou $\mathbb{Q}$. On appelle $\aleph_1$ (aleph 1) le cardinal de ce type d'ensemble, qui est dit « transfini » ou, selon la formule du mathématicien Georg Cantor, « ayant la puissance du continu ».

Pour le démontrer, on utilise comme dans le chapitre 1 le raisonnement par l'absurde en supposant que l'ensemble des nombres réels compris entre 0 et 1 est dénombrable. Cela signifie qu'à chaque entier positif, on peut associer un nombre réel compris entre 0 et 1 ; on fait l'énumération correspondante (peu importe les nombres réels compris entre 0 et 1 qu'on choisit dans la colonne de droite) :

1	correspond à	0,3456459...
2	correspond à	0,4289573...
3	correspond à	0,6742305...
4	correspond à	0,05639725...
5	correspond à	0,48552191...
...	...	...

• On forme alors le nombre réel suivant : sa première décimale après 0 est la première décimale du premier (soit 3) à laquelle on ajoute 1, sa seconde décimale est la seconde décimale du deuxième (soit 2) à laquelle on ajoute 1, etc.

• Dans notre cas cela donne 0,43543... ; on obtient ainsi un autre nombre réel compris entre 0 et 1 dont on est sûr qu'il n'est pas dans la liste puisque sa première décimale n'est pas celle du premier, sa seconde décimale n'est pas celle du second...

• Il n'est pas nécessaire de prendre la décimale du premier en lui ajoutant 1, il suffit de prendre n'importe quelle décimale du premier nombre autre que celle qui y figure effectivement[1] !

---

1. La façon dont on construit ce nombre est apparemment banale, mais ne l'est pas conceptuellement ; elle fait intervenir « l'axiome du choix », principe fondamental de logique mathématique introduit par Zermelo : étant donné une famille d'ensembles, on peut former un nouvel ensemble qui contient exactement un élément de chaque ensemble de la famille.

Nombres algébriques et nombres transcendants

On appelle « algébrique » un nombre réel solution d'une équation algébrique à coefficients entiers, comme

$$a_nX^n + a_{n-1}X^{n-1} + \ldots + a_1X + a_0 = 0 \qquad (1)$$

Par exemple $\sqrt{2}$ est solution de l'équation $x^2 - 2 = 0$, c'est un nombre algébrique.

L'ensemble des nombres algébriques, qui va largement au-delà des entiers positifs (ensemble $\mathbb{N}$) et des nombres rationnels (ensemble $\mathbb{Q}$), est lui aussi dénombrable, il peut être mis en relation biunivoque avec $\mathbb{N}$!

Une manière simple de s'en convaincre est de noter que l'ensemble des équations algébriques est dénombrable et que par ailleurs, chacune ayant un nombre fini de solutions, l'ensemble formé par ces solutions, c'est-à-dire l'ensemble des nombres algébriques, est dénombrable.

En voici une démonstration plus précise. À chaque nombre solution d'une équation algébrique, on associe un nombre entier différent : on arrive donc à énumérer les nombres algébriques. Il s'agit d'une méthode classique, que Gödel utilise dans son théorème (voir chapitre 9) lorsqu'il introduit les « nombres de Gödel ». Ce type de méthodes utilise le « théorème fondamental de l'arithmétique », à savoir que tout nombre entier peut être décomposé de manière unique en un produit de puissances de nombres premiers (décomposition d'un entier en nombres premiers).

Ainsi l'équation polynomiale *(1)* ci-dessus a n racines ; on associe à chacune des racines réelles le nombre entier ainsi composé :

$$2^k \times 3^{a_0\#} \times 5^{a_0\#\#} \times 7^{a_1\#} \times 11^{a_1\#\#} \times \ldots \times p_{2n+2}^{a_n\#} \quad \times \ldots$$

où p_n est le n^e nombre premier, et k un entier compris entre 1 et n permettant de couvrir par excès l'ensemble des n solutions du polynôme algébrique. Comme on doit tenir compte du fait que les coefficients a_0, a_1... peuvent être négatifs, on adopte la convention suivante : si $a_n \geq 0$,

$a_{n\#} = a_n$ et $a_{n\#\#} = 0$, et si $a_n < 0$, $a_{n\#} = 0$ et $a_{n\#\#} = - a_n$; on affecte ainsi les nombres premiers de rang pair comme 3, 7, 13... aux coefficients positifs de l'équation algébrique *(1)*, et les nombres premiers de rang impair comme 5, 11, 17... aux coefficients négatifs de l'équation.

Le caractère dénombrable de l'ensemble des nombres algébriques a une conséquence importante. Il implique que le caractère non dénombrable des réels, qu'on a vu au paragraphe précédent, est celui des nombres non algébriques, c'est-à-dire les nombres transcendants. En effet, l'ensemble des nombres algébriques étant dénombrable, le fait que l'ensemble des réels qui le contient est non dénombrable signifie que c'est l'ensemble des nombres transcendants qui n'est pas dénombrable.

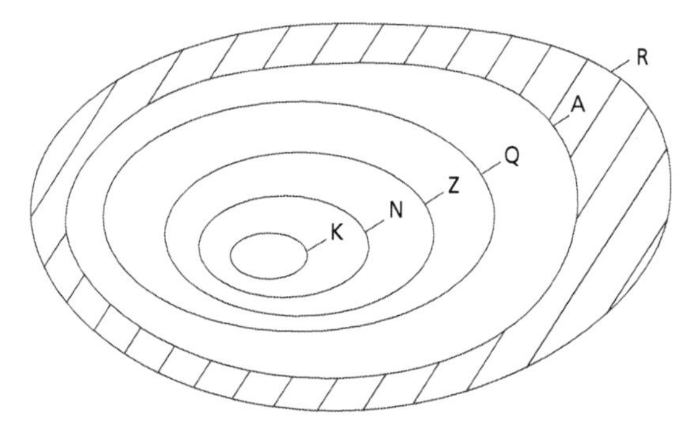

Figure 2.1 : Les ensembles évoqués dans ce chapitre, de $\mathbb{K}$ l'ensemble des carrés parfaits à $\mathbb{R}$ l'ensemble des nombres réels ($\mathbb{A}$ est l'ensemble des nombres algébriques). Seule la dernière couche hachurée, celle des nombres transcendants, a un cardinal transfini.

C'est l'ensemble des nombres transcendants qui a un cardinal transfini[1] : et pourtant, il n'est pas intuitif de citer ne serait-ce qu'un

1. « Les nombres algébriques sont comme les étoiles sur le fond du ciel, et l'obscurité épaisse est le firmament des nombres transcendants » (M. Boll, [1]).

seul nombre transcendant, d'ailleurs jusqu'au XIXe siècle aucun mathématicien n'était capable d'en citer avec certitude !

Il a fallu attendre 1882 pour que Lindemann mette en évidence de manière certaine un nombre transcendant, qui n'est autre que π ! Il démontrait aussi par la même occasion l'impossibilité de la « quadrature du cercle », équivalente au fait que π n'est pas solution d'une équation algébrique.

Comment multiplier l'infini $\aleph_0$ par le transfini $\aleph_1$?

• On démontre que le segment réel [0,1] est biunivoque avec le carré de segment [0,1] : ce résultat a beaucoup étonné Cantor, à savoir que le segment comme le carré ont la même puissance du continu $\aleph_1$: le carré n'est pas plus « grand » que son côté ! Cela peut s'écrire $\aleph_1 \times \aleph_1 = \aleph_1$.

La démonstration est facile, on prend un carré de côté 1, et son sommet en bas à gauche est pris comme origine d'un repère cartésien.

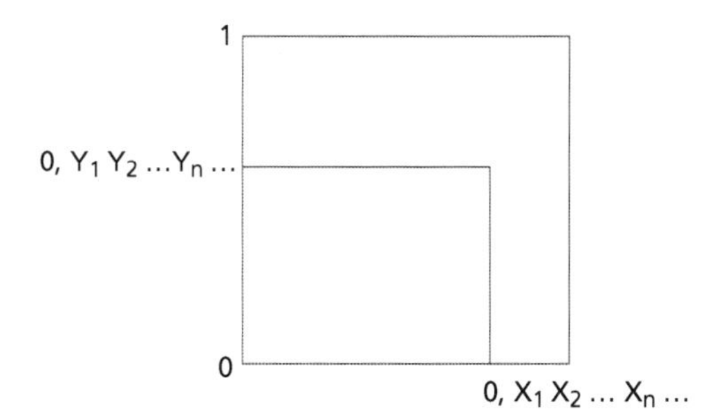

Figure 2.2 : Tout point à l'intérieur du carré a pour coordonnées $X = 0{,}X_1X_2X_3\ldots X_n\ldots$ et $Y = 0{,}Y_1Y_2Y_3\ldots Y_n\ldots$ Ce point peut être mis en correspondance biunivoque avec le réel du segment [0,1] ainsi formé : $Z = 0{,}X_1Y_1X_2Y_2X_3Y_3\ldots X_nY_n\ldots$

• Notons que le segment réel [0,1] est biunivoque avec l'ensemble des réels $\mathbb{R}$; c'est moins étonnant puisque $\mathbb{R}$ s'obtient en répétant par translation le segment [0,1] une infinité dénombrable de fois : [0,1], [1,2], [2,3], [3,4]... (*idem* pour les nombres négatifs [– 1,0], [– 2,– 1]...). Autrement dit, on translate le segment [0,1] autant de fois qu'il y a d'entiers naturels (positifs ou négatifs) pour obtenir l'ensemble $\mathbb{R}$ des nombres réels : cela peut s'écrire $\aleph_1 \times \aleph_0 = \aleph_1$.

• On démontre que le segment [0,1] est assimilable à l'ensemble des parties de $\mathbb{N}$.

En effet à chaque nombre réel compris entre 0 et 1, soit 0, $X_1X_2X_3... X_n...$ on associe la partie de $\mathbb{N}$ qui est l'ensemble des décimales de ce nombre réel, partie qu'on convient de noter $\{X_1, X_2, X_3, ..., X_n, ...\}$

Or pour un ensemble fini à n éléments $\{X_1, X_2, X_3, ..., X_n\}$, le nombre de ses parties[1] est égal à 2^n ; par extrapolation, on écrit, en comparant d'une part le segment [0,1] qui a $\aleph_1$ éléments et qui est associé à l'ensemble des ensembles de type $\{X_1, X_2, X_3, ... , X_n, ...\}$, et d'autre part $\mathbb{N}$ qui a $\aleph_0$ éléments, que $\aleph_1 = 2^{\aleph_0}$; cela met en évidence que, pour passer de $\aleph_0$ à $\aleph_1$, ce n'est pas une addition ou une multiplication qui entre en jeu (en effet $\aleph_0 \times \aleph_0 = \aleph_0$), mais une mise à la puissance.

• Enfin, les mathématiciens se sont demandé s'il y avait un autre type de cardinal compris entre l'infini dénombrable $\aleph_0$ et le transfini $\aleph_1 = 2^{\aleph_0}$; ils conjecturaient qu'un tel ensemble n'existait pas. Il s'agissait du premier des 23 problèmes à résoudre au XXe siècle posés par Hilbert en 1900. Gödel, en 1938, sur la base de son théorème de 1931, démontra que cette conjecture était indécidable (voir chapitre 9).

1. Il s'agit là d'un résultat connu de combinatoire, si l'on prend p éléments parmi n ($p \leq n$), le nombre de parties à p éléments est $C_n^p = \frac{n!}{p! \times (n-p)!}$, et le nombre total de ces parties est : $\sum_{p=0}^{n} C_n^p = 2^r$.

CHAPITRE 3

Le raisonnement par récurrence suites infinies finies

On a vu au chapitre 1 (caractère irrationnel de $\sqrt{2}$) et au chapitre 2 (caractère non dénombrable du segment [0,1]) des exemples de raisonnement par l'absurde.

On introduit dans ce chapitre le raisonnement par récurrence, très utilisé dans la théorie des nombres : pour démontrer une propriété valable pour tout nombre entier n, on se contente de démontrer que, si elle est vraie pour n, elle est vraie pour n + 1. Comme on aura vérifié qu'elle est vraie pour n = 1, on aura ainsi démontré qu'elle est vraie pour toute valeur de n. Du point de vue de la logique, le bien-fondé du raisonnement par récurrence est un des axiomes de l'arithmétique (voir chapitre 9).

Que vaut la somme des n premiers nombres ?

On démontre par récurrence que la somme des n premiers nombres est égale à $\frac{n \times (n+1)}{2}$.

• Par exemple, la somme des 5 premiers nombres (1 + 2 + 3 + 4 + 5) est égale à 15, ce qui correspond bien pour n = 5 à $\frac{n \times (n+1)}{2}$ $= \frac{5 \times 6}{2} = 15$;

• On suppose que c'est vrai pour n, à savoir
$U_n = 1 + 2 + 3 + \ldots + n = \dfrac{n \times (n+1)}{2}$;

• Alors $U_{n+1} = U_n + (n+1) = \dfrac{n \times (n+1)}{2} + (n+1)$

$= (n+1) \times \left(\dfrac{n}{2} + 1\right) = \dfrac{(n+1) \times (n+2)}{2}$;

• Donc la propriété est démontrée pour n + 1 : elle est vraie pour tout n.

On appelle « nombres triangulaires » les nombres de la forme $\dfrac{n \times (n+1)}{2}$.

Le même résultat arithmétique obtenu de manière géométrique

On cherche à calculer 1 + 2 + … + n (soit la somme S) ; on aligne les chiffres de 1 à n sur une première ligne, puis les mêmes dans l'autre sens de n à 1 en dessous.

1	2	3	…	…	n – 2	n – 1	n
n	n – 1	n – 2	…	…	3	2	1

• On additionne chacune des colonnes, on trouve n fois la même somme à savoir (n + 1).

• On additionne dans l'autre sens, la première ligne donne S (la somme recherchée), la deuxième aussi.

• Comme la somme en lignes est égale à la somme en colonnes, on a $2 \times S = n \times (n + 1)$, soit $S = \dfrac{n \times (n+1)}{2}$.

Quelques sommes arithmétiques

Combien vaut la somme des inverses des puissances de deux, $S = 1 + \frac{1}{2} + \frac{1}{4} + \frac{1}{8} + \frac{1}{16} + \ldots$? Une solution quasi graphique comme ci-dessus consiste à multiplier cette somme par 2 et à écrire :

$$2 \times S = 2 + 1 + \frac{1}{2} + \frac{1}{4} + \frac{1}{8} + \frac{1}{16} + \ldots = 2 + S, \text{ donc } S = 2.$$

Cette somme est donc finie, malgré le fait qu'elle a un nombre infini de termes.

C'est la solution des fameux paradoxes d'Achille et de la tortue ou de la flèche de Zénon : une flèche dirigée vers une cible met un certain temps à parcourir la moitié de la distance la séparant de la cible, puis un certain temps pour parcourir la moitié de la distance restante, ainsi de suite... ; la flèche n'atteint donc jamais sa cible !

Le lecteur pourra utiliser le raisonnement par récurrence pour trouver une relation amusante entre la somme des cubes des n premiers nombres et le carré de la somme des n premiers nombres (une somme de cubes successifs est toujours un carré parfait !), par exemple :

$$1^3 + 2^3 + 3^3 + 4^3 + \ldots\ldots + n^3 = (1 + 2 + 3 + 4 + \ldots + n)^2$$

On vérifie que $1^3 + 2^3 + 3^3 = (1 + 2 + 3)^2 = 6^2 = 36$

que $1^3 + 2^3 + 3^3 + 4^3 = (1 + 2 + 3 + 4)^2 = 100$

que $1^3 + 2^3 + 3^3 + 4^3 + 5^3 = (1 + 2 + 3 + 4 + 5)^2 = 225$

Le nombre d'or comme limite d'une suite infinie

Le célèbre nombre d'or est un nombre algébrique, racine de l'équation algébrique $\Phi^2 = \Phi + 1$. La résolution de cette équation donne $\Phi = 2 \times \cos\frac{\pi}{5} = \frac{1 + \sqrt{5}}{2} = 1{,}61803\ldots$

Une des premières constructions géométriques de Φ est donnée par le « partage d'un segment en moyenne et extrême raison », ce qui est nettement moins mythique que les expressions « divine proportion », puis « nombre d'or » qui lui ont succédé. Soit un segment

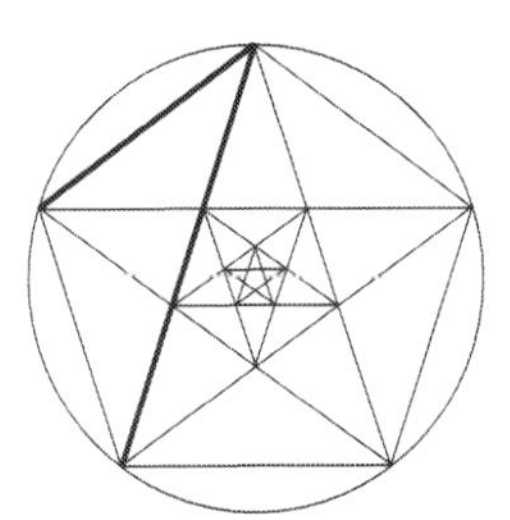

Figure 3.1 : Mise en abîme du pentagone régulier
et du pentagone étoilé.
Le rapport entre la diagonale et le côté
du pentagone régulier (en gras) est égal au nombre d'or.
Le rapport entre le côté du pentagone régulier et celui
du pentagone étoilé inscrit est égal au nombre d'or.

AB, son partage en moyenne et extrême raison revient à partager le segment en deux parties inégales, de telle manière que *la plus grande soit à la plus petite comme le tout est à la plus grande.* Cela signifie (figure 3.2) que :

$$\frac{\text{MA (la plus grande partie)}}{\text{MB (la plus petite partie)}} = \frac{\text{AB (le tout)}}{\text{MA (la plus grande partie)}}$$

Si l'on appelle Φ ce rapport commun, on écrit

$\text{MA} + \text{MB} = \text{AB}$, donc $1 + \frac{\text{MB}}{\text{MA}} = \frac{\text{AB}}{\text{MA}}$, donc $1 + \frac{1}{\Phi} = \Phi$ soit $\Phi^2 = \Phi + 1$.

On retrouve là le nombre Φ comme solution de cette équation algébrique donnée plus haut.

A M B

Figure 3.2 : Partage d'un segment en moyenne et extrême raison.

Φ est aussi la limite du rapport de deux termes successifs des suites dites « de Fibonacci », définies comme $F_{n+1} = F_n + F_{n-1}$ (addition de deux termes successifs).

• En effet, si l'on définit la suite $R_n = \frac{F_{n+1}}{F_n}$ des rapports successifs des termes de la suite de Fibonacci, on a $\frac{F_{n+1}}{F_n} = 1 + \frac{F_{n-1}}{F_n}$, soit $R_n = 1 + \frac{1}{R_{n-1}}$; quand n tend vers l'infini, cette suite R_n converge vers le nombre r tel que $r = 1 + \frac{1}{r}$, (ou $r^2 = r + 1$), c'est-à-dire vers le nombre d'or.

La plus célèbre des suites de Fibonacci est celle où $F_0 = 1$ et $F_1 = 1$, elle correspond à la suite de « prolifération des lapins » :

• Soit un couple de lapins, il donne naissance chaque mois à partir du deuxième mois à un nouveau couple de lapins, qui lui-même donne naissance tous les mois à partir du deuxième mois à un nouveau couple de lapins, etc.

• Le nombre de couples de lapins au mois n + 1 peut s'écrire $F_{n+1} = F_n$ (lapins existant au mois précédent) + F_{n-1} (nouveaux couples de lapins nés au mois n + 1 des F_{n-1} couples en état de procréer au mois n + 1). Cela donne $F_2 = F_0 + F_1 = 2$, $F_3 = F_1 + F_2 = 3$, $F_4 = F_2 + F_3 = 5$, et donc la suite 1, 1, 2, 3, 5, 8, 13, 21, 34, 55...

• On vérifie que, dès le dixième terme de la suite, le rapport $R_8 = \frac{F_9}{F_8}$ de deux termes successifs, soit $R_8 = \frac{55}{34}$ s'approche du nombre d'or à 99,97 % près !

Le nombre d'or possède une propriété esthétique dans son écriture même, c'est-à-dire qu'il peut n'être écrit qu'avec le chiffre 1 :

$$\Phi = \sqrt{1+\Phi} = \sqrt{1+\sqrt{1+\Phi}} = \ldots$$

(on remplace par $\sqrt{1+\Phi}$ indéfiniment dans le terme de droite)

$$\text{ou aussi } \Phi = 1 + \frac{1}{\Phi} = 1 + \frac{1}{1+\frac{1}{\Phi}} = \ldots \qquad (1)$$

(on remplace Φ par $1 + \frac{1}{\Phi}$ indéfiniment dans le terme de droite).

Concernant cette dernière formule *(1)*, il s'agit d'un développement en fraction continue (ce type de développement est fort utilisé en analyse), qui n'est composé que du chiffre 1. Le développement en fraction continue d'un nombre permet de le calculer par approximations successives ; on peut le vérifier pour la formule *(1)* :

$$\Phi_1 = 1+\cfrac{1}{1+\cfrac{1}{1}} = 1+\frac{1}{2} = \frac{3}{2} = 1{,}5 \qquad \left(\text{soit } \frac{F_3}{F_2}\right)$$

$$\Phi_2 = 1+\cfrac{1}{1+\cfrac{1}{1+\cfrac{1}{1}}} = 1+\cfrac{1}{1+\cfrac{1}{2}} = 1+\cfrac{1}{\frac{3}{2}} = 1+\frac{2}{3} = \frac{5}{3} = 1{,}66\ldots \left(\text{soit } \frac{F_4}{F_3}\right)$$

$$\Phi_3 = \frac{8}{5} = 1{,}6 \qquad \left(\text{soit } \frac{F_5}{F_4}\right).$$

On retrouve à chaque fois le rapport de deux termes successifs de la suite de Fibonacci, et ce rapport converge vers le nombre d'or $\Phi = 1{,}61803\ldots$

CHAPITRE 4

Densité des nombres premiers

Rappelons qu'un nombre premier est un nombre entier qui n'est divisible que par 1 et par lui-même. Le « théorème fondamental de l'arithmétique » nous dit que tout nombre entier peut s'écrire de manière unique comme le produit de puissances de nombres premiers, par exemple :

$$22\,344 = 2^3 \times 3 \times 7^2 \times 19$$

C'est la « décomposition en nombres premiers » de ce nombre, qui fait comparer parfois, dans une belle allégorie, les nombres premiers aux « atomes de la multiplication » : avec eux, et avec eux seulement, on peut construire tous les entiers, comme avec les atomes on peut construire toutes les molécules.

Le fait qu'il existe des nombres premiers[1] et leur densité parmi les nombres entiers ont toujours fasciné ; il y a une infinité de nombres premiers, mais comment sont-ils répartis ? Il n'y a évidemment pas de règle de répartition, mais on peut donner une bonne image de la densité des nombres premiers : « une répartition régulière globalement et irrégulière localement ».

1. On inclut sans hésiter les nombres premiers dans la « réalité archaïque ou primitive des mathématiques », telle que la décrit joliment Alain Connes (Entretien *Les Dossiers de la recherche,* août 2005).

Une infinité de nombres premiers

Raisonnons une nouvelle fois par l'absurde, supposons qu'il y ait un nombre fini de nombres premiers, n étant le plus grand ; intéressons-nous au nombre N = n!! + 1.

n!! est défini comme le produit des nombres premiers inférieurs ou égaux à n : ainsi 5!! = 6!! = 2 × 3 × 5= 30 ; 7!! = 8!! = 9!! = 10!! = 2 × 3 × 5 × 7 = 210.

• *1er cas* : si N est premier, la supposition initiale est absurde, puisqu'on trouve en N un nombre premier supérieur à n qu'on avait pris comme étant le plus grand (en effet n étant premier, n divise n!!, donc n < N).

• *2e cas* : si N n'est pas premier, alors il possède un diviseur premier p, qui est forcément inférieur à n puisque n est supposé être le plus grand des nombres premiers ; il divise donc n!! qui est le produit de tous les nombres premiers inférieurs à n ; p divise n!! et N, il divise donc 1 puisque N = n!! + 1 ; or p est un nombre premier, donc supérieur à 1.

• Dans les deux cas on aboutit à une absurdité, il y a donc une infinité de nombres premiers.

Cela nous montre aussi que, pour tout nombre premier n, il existe un nombre premier compris entre n et N : cette démonstration nous est donnée par Euclide dans ses *Éléments* vers 300 avant J.-C.

La démonstration identique est valable pour n! (n!, appelé « factorielle de n », est défini comme le produit de tous les nombres entiers inférieurs ou égaux à n) : la démonstration ci-dessus nous permet toutefois de localiser un nombre premier entre n et N = n!! + 1, qui est un intervalle plus petit qu'entre n et n!.

Comment trouver 1 000 nombres non premiers consécutifs ?

On démontre de la même manière qu'on peut trouver n nombres non premiers consécutifs, ce qui est une propriété de densité intéressante des nombres composés (c'est-à-dire non premiers).

Considérons de nouveau N = n!! + 1 : ce peut être un nombre premier ou non premier, en revanche tous les nombres successifs de n!! + 2 jusqu'à n!! + n sont composés.

Comment démontrer que (n!! + p), avec p compris entre 2 et n est composé ?

• *1er cas* : si p est premier, alors p divise n!! et donc il divise (n!! + p) qui n'est ainsi pas premier.

• *2e cas* : si p n'est pas premier, il existe q premier entre 2 et p qui divise p ; $q < p \leq n$, donc q divise n!!, et q divise (n!! + p) qui n'est ainsi pas premier.

• Dans les deux cas, (n!! + p) est un nombre composé.

Ainsi, pour trouver 1 000 nombres non premiers consécutifs, on les trouve de 1 001 !! + 2 à 1 001!! + 1 001.

Une autre propriété de densité des nombres premiers est donnée par le théorème de Lejeune-Dirichlet (1837) : si p et q sont deux nombres premiers entre eux, avec $p < q$, il existe une infinité de nombres premiers s'écrivant $k \times q + p$. Par exemple il existe une infinité de nombres premiers de type $4 \times q + 1$: 5, 13, 17, 29, 37, 41, 53, ...

Un calcul fictif de nombres premiers : le nombre de Liouville-Erdös

Il existe une constante réelle, dite « nombre de Liouville-Erdös », LiEr = 0,200300005000000700000001100000000013000... qu'on obtient en mettant le n^e nombre premier à la position de décimale n^2.

• Ce nombre L est tel que $L_n = [L \times 10^{n^2}] - [L \times 10^{(n-1)^2}] \times 10^{2n-1}$ donne le n^e nombre premier (la fonction [a] est la « partie entière de a », soit, pour un nombre réel a quelconque, le nombre entier qui lui est immédiatement inférieur ; par exemple, la partie entière de π est $[\pi] = [3{,}14...] = 3$).

• Cette démonstration est très simple compte tenu de la façon dont le nombre LiEr est construit. Bâtissons par exemple pour $n = 3$, $L_3 = [L \times 10^{3^2}] - [L \times 10^{2^2}] \times 10^5 = [L \times 10^9] - [L \times 10^4] \times 10^5$ $= [200\ 300\ 005{,}00000007...] - 10^5 \times [2\ 003{,}00005000000...] =$ $200\ 300\ 005 - 10^5 \times 2003 = 200\ 300\ 005 - 200\ 300\ 000 = 5$; c'est bien le troisième nombre premier.

Cela peut paraître amusant qu'il existe un nombre irrationnel capable de nous donner la totalité des nombres premiers par une formule assez simple. Mais c'est un leurre, puisqu'il faut déjà connaître tous les nombres premiers pour bâtir LiEr : ils s'y cachent tous !

Les nombres de Fermat

Pierre de Fermat (1601-1665) est mathématicien à ses heures, quand sa fonction de magistrat royal à Toulouse lui en laisse le loisir. On retiendra son nom comme mathématicien plus que comme magistrat, notamment grâce au « grand théorème de Fermat » : $x^n + y^n = z^n$ est impossible pour x, y, z entiers et $n > 2$[1] ; Fermat émet cette conjecture[2], qui fut un écueil pour de nombreux mathématiciens pendant trois siècles et demi.

Il donne aussi son nom à certains nombres dits « nombres de Fermat » :

---

1. Pour n = 2, c'est le théorème de Pythagore, et on verra au chapitre 7 qu'il existe une infinité de solutions non équivalentes.
2. On sait que Fermat avait noté en 1636 en marge de sa conjecture « J'ai trouvé une démonstration amusante de cette propriété, mais la place me manque pour la transcrire ici » ; cette petite phrase a tenu en haleine des générations de mathématiciens pendant trois siècles !

• Si $2^n + 1$ est premier, alors n est une puissance de 2 (par exemple 17, $n = 4 = 2^2$) ; les nombres de Fermat sont ces nombres de la forme $2^{2^n} + 1$.

• Fermat a émis la conjecture réciproque, à savoir que tous les nombres de Fermat étaient premiers ; cette fois, son intuition était fausse, car Euler a démontré en 1732 que $2^{2^5} + 1$ n'est pas premier.

• Les nombres premiers pouvant s'écrire sous la forme $2^{2^n} + 1$ (c'est-à-dire les nombres de Fermat premiers) donnent des polygones constructibles à la règle et au compas ; ce sont les seuls polygones dont le nombre de côtés est premier à pouvoir être ainsi construits.

Par exemple, le polygone régulier à 5 côtés, ou pentagone, a été construit par Euclide ; on raconte que Gauss s'est réveillé un jour tout heureux d'avoir trouvé la construction du polygone à 17 côtés pendant la nuit ; en revanche, l'heptagone, polygone régulier à 7 côtés, ne peut être construit.

Les produits eulériens

Euler (1707-1783) met en évidence l'égalité suivante pour tout nombre *réel* a supérieur à 1 :

$$\sum_{n=1}^{n=\infty} \frac{1}{n^a} = \prod_p \frac{p^a}{p^a - 1} \qquad (1)$$

À gauche de l'égalité, c'est une somme portant sur tous les nombres entiers positifs n ; à droite de l'égalité, c'est un produit portant sur tous les nombres premiers p.

Cela se démontre avec le type de formules du chapitre 3 : on a $\sum_{k=0}^{\infty} \frac{1}{x^k} = \frac{x}{x-1}$, donc pour tout nombre premier $\sum_{k=0}^{\infty} \frac{1}{p^{k \times a}} = \frac{p^a}{p^a - 1}$; en faisant le produit de toutes les expressions de droite $\prod_p \frac{p^a}{p^a - 1}$ et en utilisant à gauche le fait que tout nombre entier se décompose de manière unique en un produit de nombres premiers, on obtient la somme recherchée.

• À titre d'exemple pour a = 2, l'identité s'écrit

$$\sum_{n=1}^{n=\infty} \frac{1}{n^2} = \prod_p \frac{p^2}{p^2 - 1} = \prod_p \sum_{k=0}^{k=\infty} \frac{1}{p^{2k}} = \prod_p \left(1 + \frac{1}{p^2} + \frac{1}{p^4} + \frac{1}{p^6} + \ldots\right)$$

On le vérifie intuitivement en observant que le produit $\prod_p \left(1 + \frac{1}{p^2} + \frac{1}{p^4} + \frac{1}{p^6} + \ldots\right)$, une fois distribué, est égal à une somme de fractions de type $\frac{1}{D}$, où le dénominateur D est un produit de puissances de nombres premiers au carré, ce qui, en utilisant la décomposition unique de tout entier n en nombres premiers (« théorème fondamental de l'arithmétique »), donne bien $\sum_{n=1}^{n=\infty} \frac{1}{n^2}$.

Cette fonction de a, dite $\zeta(a) = \sum_{n=1}^{n=\infty} \frac{1}{n^a} = \prod_p \frac{p^a}{p^a - 1}$, est appelée « fonction zéta de Riemann » et joue un grand rôle dans la démonstration du théorème de Fermat ainsi que dans l'analyse.

Euler montre aussi, pour a = 2 dans l'identité *(1)* ci-dessus, que $\sum_{n=1}^{\infty} \frac{1}{n^2} = \frac{\pi^2}{6}$ (la somme infinie des inverses des carrés des nombres entiers converge vers $\frac{\pi^2}{6}$).

Les nombres premiers irréguliers

Lors de la longue marche qui aboutit à la démonstration du théorème de Fermat en 1995, plus de trois cent cinquante ans après la conjecture de Fermat, le mathématicien Kümmer introduit les « nombres premiers irréguliers », dont la définition paraît anecdotique : un nombre premier p est irrégulier s'il divise le numérateur d'un des nombres de Bernoulli[1] B_{2k}, avec $2 \leq 2k \leq (p - 3)$.

Ces « nombres premiers irréguliers » forment une caste à part dans l'ensemble des nombres premiers, à tel point que Kümmer démontre en 1850 le théorème de Fermat pour tout nombre premier régulier. Il faudra attendre cent cinquante ans de plus pour que ce théorème soit démontré pour les premiers irréguliers, et donc pour tous les nombres !

Entre 1 et 100, on ne trouve que trois nombres premiers irréguliers, ce sont 37, 59, 67, contre vingt-deux nombres premiers réguliers.

D'autres conjectures, certaines encore indécidées

On a vu que le grand théorème de Fermat a été une conjecture indécidée pendant trois cent cinquante ans ; il a été démontré par le mathématicien anglais Wyles en 1995 en faisant appel à des méthodes totalement inconnues de Fermat.

D'autres conjectures subsistent dont on ignore si elles sont vraies ou fausses :

• Existe-t-il ou non une infinité de nombres premiers de la forme $p = n^2 + 1$? Par exemple 5, 17, 37, 101, 197...

• Existe-t-il une infinité de nombres premiers jumeaux, c'est-à-dire séparés de deux unités (le plus petit écart possible entre deux nombres premiers, puisqu'ils sont toujours impairs) ? Par exemple, les couples (3,5), (11,13), (17,19), (59, 61), (71, 73)...

• La conjecture de Goldbach, à savoir que tout nombre pair peut s'écrire comme somme de deux nombres premiers, reste non

---

1. Les nombres de Bernoulli B_{2k} sont des rationnels coefficients d'un développement en série particulier $B_2 = \frac{1}{6}$, $B_4 = -\frac{1}{30}$, $B_6 = \frac{1}{42}$, $B_8 = -\frac{1}{30}$, $B_{10} = \frac{5}{66}$, $B_{12} = -\frac{691}{2\,730}$... Malgré leur apparence non significative, ils recèlent des richesses arithmétiques qu'on a commencé à voir au XIXe siècle.

démontrée : elle est considérée comme l'un des problèmes les plus difficiles de la théorie des nombres.

• La conjecture de Collatz (qui ne concerne pas les nombres premiers) est d'un énoncé très simple mais reste ouverte : partant d'un nombre N, on le divise par 2 s'il est pair, on fait l'opération $\frac{3 \times N + 1}{2}$ s'il est impair. Pour N = 7, on trouve la suite (7, 11, 17, 26, 13, 20, 10, 5, 8, 4, 2, 1, 2, 1, 2, 1...) ; le problème est de savoir si, pour tout nombre N de départ, on arrive à 1.

• Le théorème des 4 couleurs, à savoir la possibilité de colorier avec quatre couleurs seulement toute carte géographique sans que deux pays voisins aient la même couleur (des pays ayant un coin en commun ne sont pas considérés comme voisins) a été émise comme conjecture par un cartographe anglais en 1852 ; ce n'est qu'en 1977 que cette conjecture a été démontrée, passant au statut de théorème. Mais cela fut fait en utilisant l'informatique, et encore maintenant l'informatique est la seule manière de démontrer le théorème des quatre couleurs !

Les nombres premiers à la base de la cryptographie

L'algorithme actuellement le plus utilisé dans le cryptage informatique (sécurité de transmission des messages, cartes à puce) est l'algorithme RSA. C'est un algorithme dit « à clefs publique et privée », qui est notamment basé sur le « petit théorème de Fermat » (vers 1640) :

Pour tout nombre premier p, pour tout nombre entier a non divisible par p, le nombre ($a^p - a$) est divisible par p.

Autrement dit, a^p et a ont le même reste dans la division par p ; vérifions par exemple avec p = 3 et a = 8, $8^3 - 8 = 504$ est divisible par 3.

Voyons comment ce théorème est utile à la cryptographie sur Internet.

Tout d'abord Euler le généralise en introduisant la fonction indicatrice d'Euler $\phi(n)$ égale au nombre d'entiers inférieurs à n et premiers avec n ; il démontre le théorème d'Euler, pour tout nombre a premier avec n :

$$\mathbf{a^{\phi(n)} \equiv 1 \ (mod.\ n)}$$

(le reste de la division de $a^{\phi(n)}$ par n est 1)

C'est bien une généralisation du petit théorème de Fermat qu'on retrouve, pour n premier (si n est premier, $\phi(n) = n - 1$), a étant premier avec n.

Un peu de cryptographie simple à présent. Alice (A) et Bob (B) veulent communiquer de manière secrète : par exemple Alice veut envoyer à Bob un message M correspondant à son numéro de carte de paiement. Le système de cryptographie affecte à B les nombres suivants :

— p un grand nombre premier, q un grand nombre premier, $n = p \times q$

— c un nombre premier avec $\phi(n)$, sachant que $\phi(n) = \phi(p) \times \phi(q) = (p-1) \times (q-1)$

— d est le « décodeur » : c'est l'inverse de c par rapport à $\phi(n)$, c'est-à-dire un nombre tel que le produit cd a comme reste 1 dans la division par $\phi(n)$; il est possible de trouver un tel nombre unique car c est premier avec $\phi(n)$.

Donnons un exemple avec des petits nombres : $p = 7$, $q = 11$, $\phi(pq) = 10 \times 6 = 60$, $c = 13$ par exemple, on trouve d tel que cd a comme reste 1 dans la division par $\phi(n)$. La solution unique est $d = 37$, on vérifie $13 \times 37 = 8 \times 60 + 1$.

Le couple de nombres (n, c) est connu de tous, c'est la clef de chiffrement publique de Bob ; d n'est connu que de lui, c'est sa clef de chiffrement privée. Pourquoi d n'est-il connu que de Bob ? C'est là toute l'astuce du cryptage Internet. On ne connaît les nombres premiers que jusqu'à un certain rang : si l'on prend deux très grands nombres premiers et qu'on les multiplie $n = p \times q$, alors quelqu'un qui ne connaît que n (clef publique) ne peut pas reconstituer p et q

à partir de *n* avec les moyens de calcul actuels ; donc il ne peut connaître $\phi(n)$, ni donc *d*, même s'il connaît *c*.

Terminons le chiffrement du message, Alice envoie à Bob le message ainsi chiffré à partir du message initial M :

$$\mathbf{M'} \equiv \mathbf{M^c} \text{ (mod. n)}$$

c'est-à-dire le reste de la division de M^c (M puissance *c*) par *n*.

Bob fait le déchiffrement avec sa clef privée qu'il est seul à connaître (donc personne d'autre que Bob ne peut faire ce déchiffrement) comme suit, en élevant le nombre reçu M' à la puissance *d* et en faisant un calcul de reste de division par *n* :

$$\mathbf{M'^d} \equiv \mathbf{M^{cd}} \text{ (mod. n)}$$

Or, par construction, $c \times d = r \times \phi(n) + 1$, donc :

$$M'^d \equiv M^{cd} \text{ (mod. n)} = M^{r\phi(n)} \times M \text{ (mod. n)}.$$

Comme le théorème d'Euler ci-dessus donne $M^{r\phi(n)} \equiv 1$ (mod. n), on a :

$$M'^d \equiv M^{cd} \text{ (mod. n)} = M^{r\phi(n)} \times M \equiv \mathbf{M} \text{ (mod. n)}$$ [1]

Bob retrouve ainsi le message M initial. En résumé, Alice, pour envoyer son message M, l'élève à la puissance *c* de la clef publique de Bob et calcule le reste M' de la division de ce nombre par *n* ; puis Bob élève M' à la puissance *d* de sa clef privée, et en faisant lui aussi le reste de la division par *n* retombe sur le message M originel.

Et tout cela grâce à deux faits principaux :

1. du point de vue mathématique, le théorème d'Euler et le petit théorème de Fermat ;

2. du point de vue informatique, l'impossibilité de décomposer $n = p \times q$ en ses facteurs *p* et *q* quand ce sont de grands nombres premiers, compte tenu de la puissance actuelle des ordinateurs.

---

1. Le théorème d'Euler est vrai si M est premier avec *n*, mais la formule ci-dessus reste vraie dans tous les cas ; en effet, on prend un message M inférieur au grand chiffre *n*, en le coupant en morceaux ; et si M n'est pas premier avec *n*, par exemple en étant multiple de *p*, le résultat reste valable car $M^{r\phi(n)+1} \equiv M \equiv 0$ modulo *p*, mais aussi modulo *q* – cas général –, donc aussi modulo *n*.

Par exemple, le nombre dit « RSA-200 », qui comporte 200 chiffres, a été « craqué » en 2005 : il est égal au produit de deux nombres premiers de 99 chiffres chacun. Le nombre « RSA-210 », qui comporte 210 chiffres, n'a pas été craqué à ce jour.

On voit ainsi que les nombres premiers, qui paraissent pure récréation esthétique de l'esprit, ont des applications très concrètes dans la vie quotidienne.

CHAPITRE 5

Des nombres parfaits et amicaux

Encore un clin d'œil des mathématiques au langage courant, on y définit des nombres *parfaits* et des couples de nombres *amicaux*.

Deux nombres sont dits « amicaux » quand la somme des diviseurs[1] de l'un est égale à l'autre, par exemple (220, 284). Fermat trouve en 1636 le couple (17 296, 18 416). Descartes trouve en 1638 le couple (9 437 056, 9 363 584).

- 220 a pour diviseurs (hors lui-même) 1, 2, 4, 5, 10, 11, 20, 22, 44, 55, 110, dont la somme est 284.
- 284 a pour diviseurs (hors lui-même) 1, 2, 4, 71, 142, dont la somme est 220.

Un nombre est dit « parfait » s'il est égal à la somme de ses diviseurs (sauf lui-même). Ainsi, par exemple, 6 ou 28 sont des nombres parfaits (6 = 3 + 2 + 1 ; 28 = 14 + 7 + 4 + 2 + 1).

Un nombre supérieur à la somme de ses diviseurs (hors lui-même) est dit « déficient ». Un nombre inférieur à la somme de ses diviseurs est dit « abondant ». Par exemple 12, 18, 20 sont des nombres abondants. Ceux-ci sont plus rares que les nombres déficients.

1. Dans ce chapitre, on exclura de la notion de diviseur d'un nombre le nombre lui-même ; la bonne définition serait « les parties aliquotes » du nombre (ce qui signifie ses diviseurs sauf lui-même) ; mais pour la bonne lecture du texte on utilisera le terme « diviseurs » par abus de langage.

Par ailleurs, on appelle « nombre de Mersenne » un nombre de la forme $M_p = 2^p - 1$; comme les nombres de Fermat, ils peuvent être premiers ou non.

- $M_5 = 31$ est premier (nombre de Mersenne premier).
- $M_7 = 127$ est premier (nombre de Mersenne premier).

Si M_p est premier, alors p est premier. La réciproque n'est pas vraie : M_{11} n'est pas premier alors que 11 l'est.

Construction d'un nombre parfait

Si le nombre de Mersenne $M_{p+1} = 2^{p+1} - 1$ est premier, alors $(2^{p+1} - 1) \times 2^p = PF$ est un nombre parfait. Cette méthode permet de construire des nombres parfaits.

- Par exemple, pour $p = 4$, le nombre de Mersenne $M_5 = 31$ est premier, donc $31 \times 16 = 496$ est un nombre parfait ($496 = 1 + 2 + 4 + 8 + 16 + 31 + 62 + 124 + 248$).

On démontre comme suit cette propriété de construction de nombres parfaits ; puisque $M_{p+1} = 2^{p+1} - 1$ est premier, les diviseurs de $PF = (2^{p+1} - 1) \times 2^p$ s'obtiennent facilement :

- Première possibilité, ils divisent 2^p.

Ces diviseurs peuvent donc s'écrire 2^n avec $0 \leq n \leq p$. Leur somme est alors $1 + 2 + 4 + ... + 2^p$; elle est égale à $2^{p+1} - 1$. Pour le démontrer, on multiplie cette somme par $(2 - 1)$ comme dans le chapitre 3.

- Deuxième possibilité, ce sont les nombres de type $(2^{p+1} - 1) \times 2^n$, avec $0 \leq n < p$.

La somme des diviseurs correspondants est égale à

$$(2^{p+1}-1) \sum_{n=0}^{n=p-1} 2^n = (2^{p+1}-1) \times (2^p-1).$$

- Au total des deux possibilités la somme des diviseurs de PF est donc égale à $(2^{p+1} - 1) + (2^{p+1} - 1) \times (2^p - 1) = (2^{p+1} - 1) \times (1 + 2^p - 1)$ soit $(2^{p+1} - 1) \times 2^p$, soit PF : PF est égal à la somme de ses diviseurs, c'est donc un nombre parfait.

L'inverse est vrai, à savoir tout nombre parfait *pair* peut s'écrire sous la forme $PF = (2^{p+1} - 1) \times 2^p$. Soit PF un nombre parfait pair, on l'écrit $PF = 2^p \times D$, où D est un nombre impair.

• Les diviseurs de PF (hors lui-même) sont soit de la forme $2^k \times d_i$, où d_i est un diviseur de D (hors lui-même) et $0 \le k \le p$, soit de la forme $2^k \times D$, avec $0 \le k < p$.

• PF étant parfait, il est égal à la somme de ses diviseurs (hors lui-même), soit :

$$PF = \sum_{d_i \neq D} \sum_{k=0}^{k=p} 2^k \times d_i + \sum_{k=0}^{k=p-1} 2^k \times D = (2^{p+1} - 1) \times \sum_{d_i \neq D} d_i + (2^p - 1) \times D$$

• Or $PF = 2^p \times D$, donc en injectant cette valeur à gauche de l'égalité ci-dessus et, en simplifiant, on trouve :

$$D = (2^{p+1} - 1) \times \sum_{d_i \neq D} d_i \qquad (1)$$

Au vu de cette forme *(1)*, deux cas se présentent.

• Si D n'est pas premier, on écrit $\sum_{d_i \neq D} d_i = S$, avec $S > 1$; or d'après *(1)*, S divise D, donc S est dans la somme des diviseurs de D qui est $\sum_{d_i \neq D} d_i$, somme qui comprend donc au moins deux termes différents 1 et S ; cette somme comprenant au moins 1 et S ne peut être égale par ailleurs à S. On aboutit à un résultat absurde, donc l'hypothèse « D n'est pas premier » est fausse.

• Si D est premier, alors $\sum_{d_i \neq D} d_i = 1$, et donc d'après *(1)*, $D = (2^{p+1} - 1)$, et l'on peut écrire $PF = 2^p \times D = 2^p \times (2^{p+1} - 1)$, avec $(2^{p+1} - 1)$ premier (puisque c'est D) ; cette forme de nombre parfait correspond exactement à ce qu'on souhaitait démontrer.

Encore des conjectures indécidées...

• À l'heure actuelle, on ne sait pas démontrer qu'il y a une infinité de nombres de Mersenne qui sont premiers, donc on ne peut démontrer par la méthode ci-dessus qu'il y a une infinité de nombres parfaits.

• La conjecture intuitive « Il n'existe pas de nombre parfait impair », non démontrée à ce jour, est d'un niveau de difficulté très élevé.

Comme au chapitre précédent (conjecture de Goldbach), on trouve donc en arithmétique des énoncés simples, vérifiables par le calcul mental jusqu'à un certain point, et donc apparaissant intuitivement « évidents[1] » et vérifiables au-delà en poussant nos ordinateurs jusqu'à la limite de leurs capacités de calcul, mais qui restent non démontrés, donc à ce jour indécidés.

Autres propriétés des nombres parfaits

• On ne connaît actuellement que 40 nombres parfaits, le dernier découvert en 2003 dans le projet informatique GIMPS (Great Internet Mersenne Prime Search, qui cherche les nombres premiers et parfaits les plus élevés possible www.mersenne.org[2]) compterait plus de huit millions de chiffres !

• Tous les nombres parfaits pairs se terminent par 6 ou 28...

• Tous les nombres parfaits pairs sont triangulaires, c'est-à-dire qu'ils s'écrivent comme la somme d'entiers successifs (nombres de

1. Attention toutefois aux limites de l'intuition : nous avons indiqué au chapitre précédent qu'Euler a démontré que $2^{32}+1$ est non premier, infirmant ainsi une des conjectures intuitives de Fermat !

2. Le moine Mersenne qui était curieux de tout (*cf.* chapitre 12 sur les cordes vibrantes) et en correspondance permanente avec les savants de son époque, aurait certainement aimé se savoir mascotte et inspirateur d'un réseau internet de passionnés d'arithmétique et d'informatique comme l'est le GIMPS !

la forme $\frac{n \times (n+1)}{2}$, voir chapitre 3) ; on le démontre facilement en remarquant qu'ils sont tous de la forme

$$(2^{p+1} - 1) \times 2^p = \frac{n \times (n+1)}{2}, \text{ avec } n = 2^{p+1} - 1.$$

Par exemple, 6 = 1 + 2 + 3, 28 = 1 + 2 + ...+ 7, 496 = 1 + 2 + ... + 31

• Tous les nombres parfaits pairs au-delà de 6 sont la somme des cubes de nombres *impairs* consécutifs (la réciproque est fausse, sinon ce serait un moyen facile de connaître des nombres parfaits !) :

$28 = 1^3 + 3^3$

$496 = 1^3 + 3^3 + 5^3 + 7^3$

$8\,128 = 1^3 + 3^3 + 5^3 + 7^3 + 9^3 + 11^3 + 13^3 + 15^3$.

Les nombres universels

Plus anecdotiques, les nombres universels sont des nombres dans le développement décimal desquels on peut trouver n'importe quelle séquence de nombres (votre date de naissance, l'enregistrement numérisé de Carmen en 0 et 1...). Le plus facile à construire est le nombre de Champernowne C = 0,12345678910111213141516171819... où l'on aligne tous les nombres entiers les uns à la suite des autres !

CHAPITRE 6

Pythagore, Descartes, Euler, des constructions géométriques

Une infinité de triangles pythagoriciens

On s'intéresse aux solutions en nombres entiers du fameux théorème de Pythagore pour les côtés a, b, c d'un triangle rectangle :

$$a^2 + b^2 = c^2 \qquad (1)$$

La solution la plus connue est $3^2 + 4^2 = 5^2$ (soit 9 + 16 = 25). Cette solution peut être étendue à tous les multiples de ces nombres, c'est-à-dire les triangles homothétiques (par exemple, en multipliant la longueur des côtés du triangle par deux : $6^2 + 8^2 = 10^2$, soit 36 + 64 = 100).

On cherche d'autres solutions non homothétiques, c'est-à-dire des triangles rectangles à cotés entiers, mais de forme différente du triangle (3, 4, 5).

• Remarquons d'abord que n'importe quel nombre impair $b = 2 \times a + 1$ peut s'écrire sous forme de différence de deux carrés parfaits :

$$b = 2 \times a + 1 = (a + 1)^2 - a^2 = \left(\frac{b+1}{2}\right)^2 - \left(\frac{b-1}{2}\right)^2$$

$$\left(\frac{b-1}{2}\right)^2 + b = \left(\frac{b+1}{2}\right)^2 \qquad (2)$$

• L'identité *(2)* représente donc un triangle pythagoricien chaque fois que b, nombre impair, est un carré parfait, c'est-à-dire pour tous les nombres b carrés de nombres impairs ; on construit ainsi une infinité de triangles rectangles (a, b, a+1) tous différents :

Pour b = 3^2 = 9 (soit 2 × a + 1 = 9, soit a = 4) : $4^2 + 3^2 = 5^2$ (triplet initial)

Pour b = 5^2 = 25 (soit 2 × a + 1 = 25, soit a = 12) : $12^2 + 5^2 = 13^2$

Pour b = 7^2 = 49 (soit 2 × a + 1 = 49, soit a = 24) : $24^2 + 7^2 = 25^2$.

L'ensemble plus général des solutions permettant de construire des triangles pythagoriciens (x, y, z) se construit à partir de tous les nombres m et n dits « générateurs du triangle pythagoricien », avec m et n de parité différente et m > n :

$$x = k \times (m^2 - n^2)$$
$$y = 2 \times k \times m \times n$$
$$z = k \times (m^2 + n^2)$$

(k étant un entier quelconque qui représente le facteur d'homothétie).

Par exemple, pour m = 11 et n = 8, si on prend k = 1, on trouve $176^2 + 57^2 = 185^2$.

Une démonstration géométrique du théorème de Pythagore

Il existe de multiples démonstrations du théorème de Pythagore ; il en est une particulièrement élégante, attribuée par Warusfel (bibliographie [36]) au professeur de mathématiques Georges Bouligand (1899-1979).

• On considère les trois triangles (figure 6.1) : le plus grand $\widehat{BCA}$ rectangle en A, $\widehat{AHB}$ et $\widehat{AHC}$ rectangles en H. Ce sont trois triangles dits « semblables » ou « homothétiques », à savoir que leurs angles sont égaux, seules leurs dimensions changent et sont proportionnelles.

• Leurs angles sont égaux car deux d'entre eux le sont : par exemple $\widehat{ABH}$ et $\widehat{ABC}$ ont en commun un angle droit et l'angle en B ; leur troisième angle est donc le même d'après le principe suivant lequel la somme des angles d'un triangle est égale à 180°.

• S'agissant de triangles semblables, le rapport entre leur base et leur hauteur est le même : on peut écrire h ($\widehat{AHB}$) (hauteur du

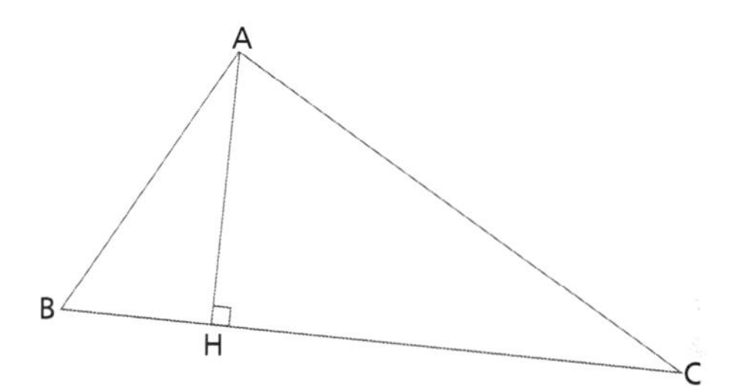

Figure 6.1 : BAC triangle rectangle en A, H point sur [BC] tel que AH hauteur du triangle.

triangle $\widehat{AHB}$) = k × AB, h ($\widehat{AHC}$) = k × AC, AH = k × BC ; k étant inconnu mais identique à chaque fois.

• La surface du triangle $\widehat{BAC}$ est égale à la somme des surfaces des deux autres triangles (la surface d'un triangle est égale à $base \times \frac{hauteur}{2}$), ce qui s'écrit :

$$BC \times \frac{AH}{2} = AB \times \frac{k \times AB}{2} + AC \times \frac{k \times AC}{2}$$

$$BC \times \frac{k \times BC}{2} = AB \times \frac{k \times AB}{2} + AC \times \frac{k \times AC}{2}$$

soit, en simplifiant par $\frac{k}{2}$: $BC^2 = AB^2 + AC^2$ (théorème de Pythagore).

Construction géométrique d'une racine carrée

Cette construction remarquable est donnée par Descartes (bibliographie [8]). Citons-le : « Ou s'il faut tracer la racine carrée de GH, je lui ajoute en ligne droite FG qui est l'unité, et divisant FH en deux parties égales au point K ; du centre K je trace le cercle FIH puis élevant du point G une ligne droite jusqu'à I à angle droit FH, c'est GI la racine cherchée. »

• Soit GH = a dont on cherche la racine (dans la figure de Descartes $a < 1$).

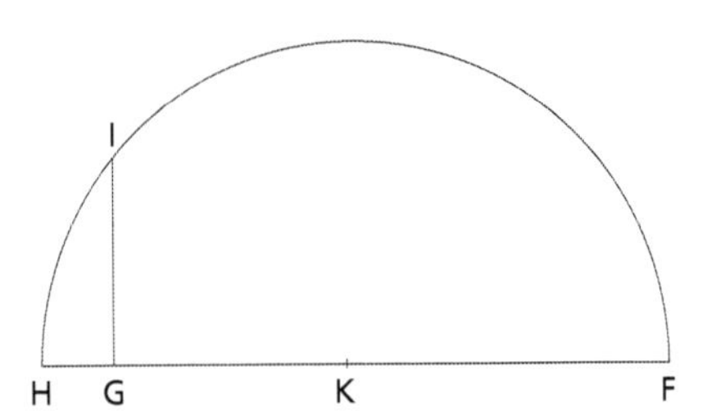

Figure 6.2 : (Extraite de Descartes) FG = 1, GH = a ; dans cette configuration a < 1).

• FH = 1 + a (« *on rajoute FG qui est l'unité* »), FIH est un cercle de rayon $\frac{1+a}{2}$.

• D'après le théorème de Pythagore :

$$KG^2 + GI^2 = KI^2$$

$$GI^2 = KI^2 - KG^2 = KI^2 - (KH - GH)^2 = \left(\frac{1+a}{2}\right)^2 - \left(\frac{1+a}{2} - a\right)^2$$

$$= \left(\frac{1+a}{2}\right)^2 - \left(\frac{1-a}{2}\right)^2 = a.$$

Donc GI = $\sqrt{a}$: la racine carré recherchée est ainsi construite géométriquement.

La droite d'Euler

Il s'agit là d'une des propriétés géométriques les plus remarquables d'un triangle quelconque : dans tout triangle, les trois points H (point de concours des hauteurs ou orthocentre), O (point de concours des médiatrices des côtés du triangle et centre du cercle circonscrit), et G (centre de gravité ou point de concours des médianes du triangle) sont alignés. On en esquisse ici une démonstration géométrique.

Tout d'abord il convient de vérifier que ces trois points existent tels qu'ils sont décrits, à savoir qu'à chaque fois, les trois droites mentionnées concourent entre elles.

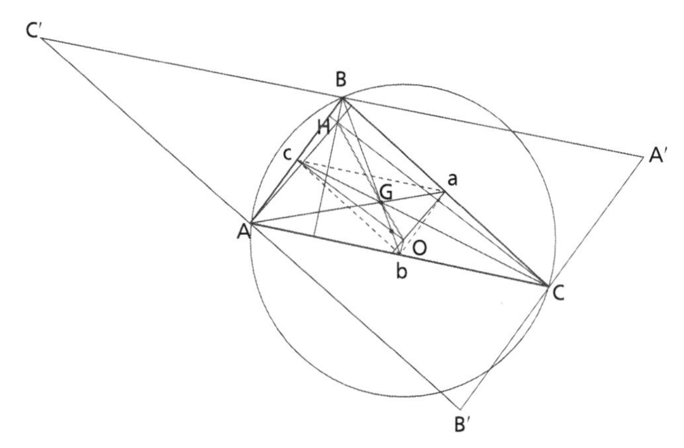

Figure 6.3 : La droite d'Euler OGH d'un triangle quelconque ABC.

• Pour O : la médiatrice du segment BC (c'est-à-dire la perpendiculaire en son milieu a) est le lieu des points M tels que MB = MC ; le croisement de la médiatrice de BC et de BA est un point O tel que OB = OC (il est sur la médiatrice de BC) et OB = OA (il est sur la médiatrice de AB) ; on en déduit OA = OC, donc O est aussi sur la médiatrice de AC ; c'est par ailleurs bien le centre du cercle circonscrit, qui vérifie OA = OB = OC.

• Pour l'orthocentre H, on introduit un triangle bâti comme suit : par A, on fait passer la parallèle à BC (et donc perpendiculaire à la hauteur) ; on a ainsi un triangle A′B′C′, et H est le point de concours des médiatrices de ce triangle, qui sont les hauteurs du triangle ABC.

• Pour le centre de gravité G, un calcul en coordonnées cartésiennes dans un repère ayant A comme origine et AB et AC comme axes donne un point commun G, centre de gravité, aux cordonnées $\left(\frac{1}{3}, \frac{1}{3}\right)$ dans ce repère.

On détermine ensuite que le triangle abc (en pointillés sur la figure) joignant les milieux des côtés du triangle initial est un triangle en homothétie de centre G et de rapport $-\frac{1}{2}$ avec le triangle ABC (c'est un triangle deux fois plus petit et inversé, comme l'est ABC vis-à-vis de A'B'C').

• Le centre de gravité G est un invariant de cette homothétie, les deux triangles ABC et abc ont même centre de gravité (c'est aussi celui de A'B'C').

• Par cette homothétie, l'orthocentre H du triangle ABC se transforme en l'orthocentre du triangle abc, c'est-à-dire le centre O du cercle circonscrit au triangle ABC.

• Par définition de l'homothétie, en notation vectorielle $\overrightarrow{GO} = -\frac{1}{2} \times \overrightarrow{GH}$, les trois points O, G, H sont donc alignés dans tout triangle.

CHAPITRE 7

π, un nombre vraiment transcendant !

Des irrationnels plus irrationnels que d'autres, les nombres transcendants

On a vu au chapitre 1 que $\sqrt{2}$ est un nombre irrationnel, c'est-à-dire qu'il ne peut s'exprimer comme le quotient de deux nombres entiers.

On appelle « transcendant » un nombre qui n'est pas solution d'une équation algébrique à coefficients entiers, telle que $a_n x^n + a_{n-1} x^{n-1} + \ldots + a_1 x + a_0 = 0$ (voir chapitre 2).

$\sqrt{2}$ est irrationnel mais est solution de l'équation algébrique $x^2 - 2 = 0$; ce n'est pas un nombre transcendant.

π n'est pas un nombre algébrique. C'est Ferdinand von Lindemann (1852-1939) qui mit en évidence en 1882 la transcendance de π, et démontra ainsi l'impossibilité de la quadrature du cercle.

• Le problème de la quadrature du cercle est d'arriver à construire, avec une règle et un compas, un carré de même surface qu'un cercle de rayon R donné ; le construire géométriquement – on peut s'en approcher, *cf.* ci-dessous, mais jamais y arriver – revient à tracer π à la règle et au compas, ou trouver π comme racine d'une équation algébrique, ce qui est impossible.

• Voici une pseudo-solution élégante et précise parmi les multiples et vaines tentatives de quadrature du cercle au cours des siècles ;

c'est celle que construisit en 1685 le père jésuite polonais Kochansky (1631-1700).

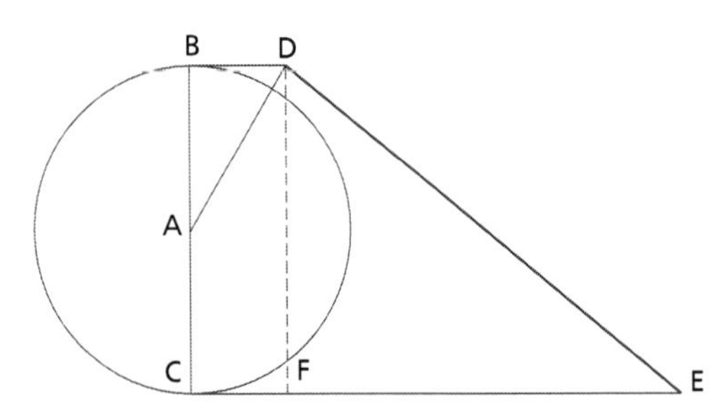

Figure 7.1 : Tentative de quadrature du cercle par Kochansky (à l'échelle 2).

On construit un cercle de centre A et de rayon AB = 1, on ouvre un angle de 30° à partir du rayon AB, on bâtit ainsi D tel que le triangle $\widehat{ABD}$ soit rectangle en B. On trace EC = 3 × AC = 3. On a

$$\mathrm{tg}(30°) = \frac{BD}{BA}\text{, donc } BD = \mathrm{tg}(30°) = \frac{\sin(30°)}{\cos(30°)} = \frac{\frac{1}{2}}{\frac{\sqrt{3}}{2}} = \frac{1}{\sqrt{3}}.$$

On abaisse la perpendiculaire à EC depuis D (point F), et on écrit le théorème de Pythagore pour le triangle $\widehat{EFD}$ rectangle en F :

$$DE^2 = DF^2 + FE^2 = BC^2 + (CE - BD)^2$$

$$DE^2 = 2^2 + \left(3 - \frac{1}{\sqrt{3}}\right)^2\text{, soit } DE = 3{,}14153334...$$

Cela constitue une approximation géométrique de π par moins de 0,02‰ : on comprend qu'avec de telles précisions, on ait pu penser jusqu'à récemment que la quadrature du cercle était possible.

Approche géométrique du nombre π

C'est Archimède (287-212 av. J.-C.) qui approcha le rapport entre la circonférence d'un cercle et son diamètre (π est le rapport entre périmètre et diamètre du cercle) ; pour ce faire, il construisit les polygones inscrits dans le cercle de diamètre D. On a ainsi une approximation progressive du périmètre du cercle par le périmètre des polygones inscrits (voir figure 7.2).

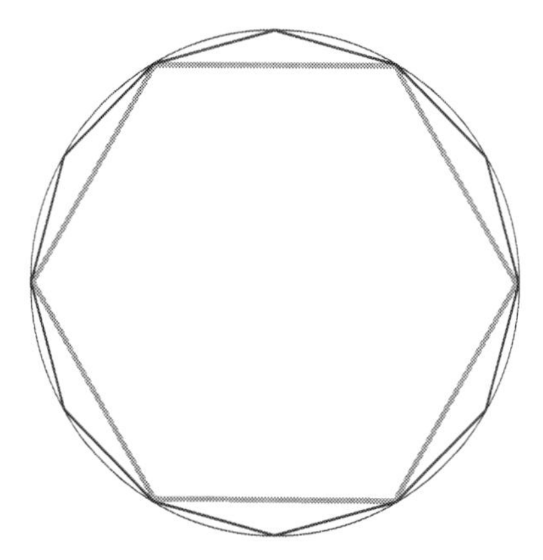

Figure 7.2 : Hexagone (six côtés, en gris) et dodécagone (douze côtés, en noir) inscrits dans un cercle.

1. Pour l'hexagone, on voit aisément que son côté est égal au rayon du cercle, puisqu'il dessine six triangles équilatéraux partageant le même sommet au centre du cercle : les côtés de ce triangle sont égaux entre eux, donc égaux au rayon du cercle. Le périmètre de l'hexagone est $6 \times R$ soit $3 \times D$: première approche de π comme rapport entre le périmètre du cercle et son diamètre par la valeur 3.

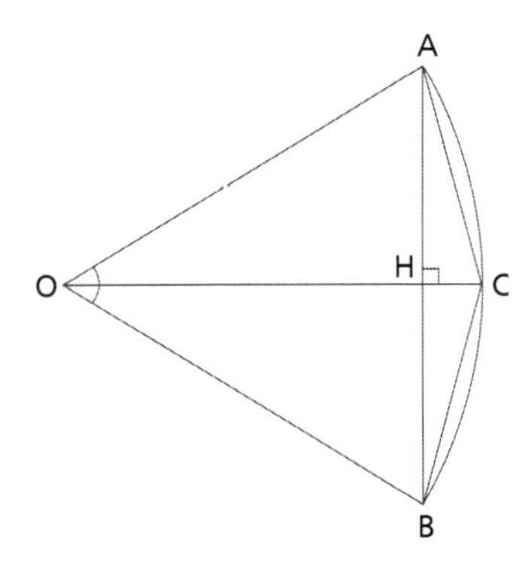

Figure 7.3 : Détail de 7.2, un des six quartiers de l'hexagone AOB (O centre) qu'on découpe en deux, point C sommet du dodécagone entre A et B, point H intersection de OC et AB.

2. Un calcul simple à partir du théorème de Pythagore nous amène à une meilleure approximation de π par le dodécagone :

$$AC^2 = AH^2 + HC^2 = \left(\frac{AB}{2}\right)^2 + (OC - OH)^2 \qquad (1)$$

$$\text{Or } OH^2 + HA^2 = OA^2\text{, soit } OH^2 = R^2 - \left(\frac{R}{2}\right)^2 = \frac{3}{4} \times R^2,$$

$$\text{soit } OH = R \times \frac{\sqrt{3}}{2}.$$

L'identité *(1)* devient :

$$AC^2 = \left(\frac{R}{2}\right)^2 + \left(R - R \times \frac{\sqrt{3}}{2}\right)^2 = (2 - \sqrt{3})R^2 \qquad (2)$$

$$AC = R\sqrt{2 - \sqrt{3}} = 0,51763809 \times R \qquad (3)$$

Le périmètre du dodécagone est égal à 12 fois cette valeur, soit 3,106 × D ; on a ainsi une seconde approche de π par la valeur 3,106.

3. Appliquons le même calcul en le généralisant à un angle α et une corde AB correspondante[1], un angle $\frac{\alpha}{2}$ et une corde AC correspondante.

En effet, d'après Pythagore, $OH^2 + \left(\frac{AB}{2}\right)^2 = R^2$; si l'on injecte cela dans l'équation *(1)* :

$$AC^2 = \left(\frac{AB}{2}\right)^2 + (OC - OH)^2 = \frac{AB^2}{4} + \left(R - \sqrt{R^2 - \frac{AB^2}{4}}\right)^2.$$

Ce calcul entièrement fondé sur le théorème de Pythagore et non sur la trigonométrie donne la formule suivante (indépendante de R et de α) pour le rapport $\frac{AC}{R}$ en fonction du rapport $\frac{AB}{R}$:

$$\left(\frac{AC}{R}\right)^2 = \frac{1}{4}\left(\frac{AB}{R}\right)^2 + \left(1 - \sqrt{1 - \frac{1}{4}\left(\frac{AB}{R}\right)^2}\right)^2$$

$$= 2 - 2\sqrt{1 - \frac{1}{4}\left(\frac{AB}{R}\right)^2} = 2 - \sqrt{4 - \left(\frac{AB}{R}\right)^2}.$$

Si l'on prend pour simplifier $R = 1$, on a :

$$AC = \sqrt{2 - \sqrt{4 - AB^2}} \qquad (4)$$

On vérifie le calcul *(2)* ci-dessus pour AB = 1, corde correspondant au triangle équilatéral, $\alpha = 60°$.

Pour le polygone à 24 côtés inscrit dans le cercle de rayon 1, on applique cette formule récurrente *(4)* à la valeur de la corde *(3)* ci-dessus, soit AB = 0,51763809 ; on trouve AC = 0,26105238 et donc un périmètre de 24 fois cette valeur, soit 6,26525723. Cela donne un rapport périmètre sur diamètre de 3,1326, soit une troisième approche de π par la valeur 3,1326.

4. Enfin, si l'on fait un calcul trigonométrique, de la figure 7.3 on tire aussi, sachant que R = 1, AB = (corde angle α) = $2 \times \sin\frac{\alpha}{2}$,

donc pour $\alpha = \frac{360°}{n}$, angle d'un polygone régulier à n côtés, que le

1. Cette méthode est attribuée par J.-P. Delahaye (bibliographie [7]) à l'astronome de Samarkand Al-Kashi vers 1450 pour le calcul de Pi.

rapport périmètre sur diamètre du cercle est égal à $n \times \sin\left(\frac{180°}{n}\right)$; cette formule nous donne des valeurs encore plus proches de π, par exemple pour n = 60, α angle de 6°, on arrive à $60 \times \sin 3° = 3{,}140157375$ formule approchant π à 0,5 ‰. Cela revient à dire, les tables trigonométriques étant d'ailleurs ainsi construites, que la suite $n \times \sin\left(\frac{\pi}{n}\right)$ converge vers π quand n tend vers ∞.

Archimède, après avoir prouvé géométriquement ce principe d'approximation de π par le rapport $\frac{\text{périmètre}}{\text{côté du n}^{\text{e}}\text{ polygone régulier}}$, l'a calculé pour le polygone régulier à 96 côtés, soit trois décimales exactes pour π, et s'est ensuite désintéressé de la recherche de décimales ultérieures de π !

Formules de calcul de π

• François Viète (1540-1603) démontra la formule suivante, où π n'est écrit qu'avec des nombres entiers :

$$\pi = 2 \times \frac{2}{\sqrt{2}} \times \frac{2}{\sqrt{2+\sqrt{2}}} \times \frac{2}{\sqrt{2+\sqrt{2+\sqrt{2}}}} \times \ldots$$

• Wallis (1616-1703) donna en 1655 la formule suivante, permettant d'écrire π avec des nombres entiers, et sans racines carrées :

$$\pi = 2 \times \frac{2 \times 2}{1 \times 3} \times \frac{4 \times 4}{3 \times 5} \times \frac{6 \times 6}{5 \times 7} \times \ldots \times \frac{(2 \times n)^2}{(2 \times n - 1) \times (2 \times n + 1)}.$$

Où l'on retrouve π sans s'y attendre

• La probabilité pour que deux nombres entiers soient premiers entre eux est $\frac{6}{\pi^2}$, soit environ 0, 608 (voir chapitre 10).

• La probabilité qu'une aiguille de longueur l tombant dans un quadrillage horizontal de largeur d > l ne touche aucune des lignes est $\frac{2 \times l}{\pi \times d}$: il s'agit du problème dit « des aiguilles de Buffon », du nom du célèbre naturaliste Georges Louis Leclerc, comte de Buffon (1707-1788).

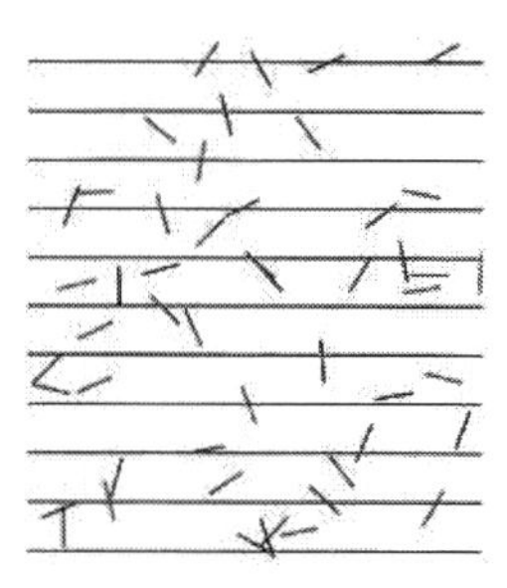

Figure 7.4 : Les aiguilles de Buffon.

CHAPITRE 8

Vivons-nous dans une géométrie euclidienne ?

L'inventeur de la géométrie que nous connaissons est Euclide qui lui a donné son nom et ses axiomes.

Or, en se rapportant à des surfaces différentes, non planes au sens où nous l'entendons couramment, plusieurs mathématiciens entre 1780 et 1850 créent des géométries non euclidiennes, où l'un des axiomes posés par Euclide n'est plus vrai. Par rapport à la géométrie euclidienne dite « à courbure nulle » apparaissent la géométrie de Gauss-Lobatchevski, à courbure négative, et la géométrie de Riemann, à courbure positive.

La géométrie de Riemann peut se représenter sur une sphère : la « droite », à savoir le plus court chemin pour aller d'un point à un autre sur la surface de la sphère[1], est un arc de grand cercle de la sphère, c'est-à-dire un cercle dont le centre est celui de la sphère.

Einstein a trouvé dans la géométrie de Riemann un modèle possible de l'espace-temps à quatre dimensions de la relativité générale, espace dans lequel les rayons lumineux suivent des géodésiques (voir chapitre 14).

1. On appelle géodésique, sur une surface quelconque, le plus court chemin pour aller d'un point à un autre.

Les axiomes de la géométrie euclidienne

De manière simplifiée, la géométrie d'Euclide est fondée sur trois axiomes :

1. Par un point passe une infinité de droites.

2. Par deux points passe une et une seule droite.

3. Par un point, on ne peut faire passer qu'une et une seule parallèle à une droite donnée.

Le troisième axiome a une longue histoire, fort intéressante en logique mathématique.

• Les Anciens avaient du mal à l'admettre ; Euclide définissait les parallèles comme « des droites qui ne se coupent jamais même à l'infini ». Or, à l'époque, des courbes asymptotiques étaient connues, comme dans le plan l'hyperbole et son asymptote (figure 8.1) : elles ne se rencontraient dans aucune région finie du plan, mais « convergeaient à l'infini » suivant la définition de l'asymptote. On pouvait imaginer les droites parallèles « convergeant à l'infini », comme une hyperbole et son asymptote.

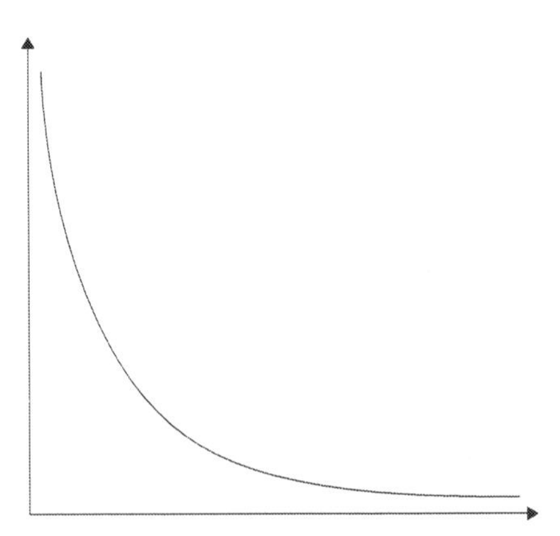

Figure 8.1 : Une hyperbole et son asymptote, deux « droites qui se rejoignent à l'infini ».

• Les mathématiciens n'ont eu de cesse de réduire la théorie d'Euclide aux deux premiers axiomes, et donc de déduire le troisième des autres. Au XIXe siècle, Gauss, Bolyai, Lobatchevski et Riemann ont démontré que cette déduction était impossible. Lobatchevski et Riemann sont même allés plus loin et ont créé des géométries non euclidiennes violant ce troisième axiome.

Le plus court chemin pour aller à l'ouest, c'est le nord

On se place sur la surface terrestre et l'on cherche à marcher d'un point vers l'autre à l'ouest ; pour simplifier, on prendra ce point sur le même parallèle, par exemple pour aller du point A Naples (latitude 41°) au point B New York (latitude 41°).

Le plus court chemin se trouve sur le grand cercle de centre O (centre de la terre) et de rayon OA ou OB sur le plan AOB, il coupe la sphère terrestre en un cercle dit « orthodromique » (du grec « courir en ligne droite ») qui est la géodésique, c'est-à-dire le plus court chemin ; dans l'hémisphère Nord (voir figure 8.2), ce cercle est orienté en A vers le Nord-Ouest. C'est ainsi que les avions partent vers le Groenland et Terre-Neuve pour relier la France et les États-Unis.

On appelle α l'angle $\widehat{AOB}$ formé au centre de la Terre par les deux points qu'on souhaite relier, et β la latitude supposée commune (par simplification) à A et à B.

Dans le cas où l'on suit l'arc de cercle reliant A à B (arc orthodromique en noir gras), la distance est $R \times \alpha$, comme tout arc de cercle.

Dans le cas où l'on suit le parallèle reliant A à B (arc loxodromique en gris), leur latitude commune β intervient dans le calcul : on suit en fait un cercle centré en C et de rayon $R \times \cos\beta$, avec un angle γ en C. On démontre par un calcul géométrique (encadré ci-dessous) que le chemin orthodromique est plus court que le chemin loxodromique.

Comparaison des chemins orthodromique et loxodromique

On calcule la distance du segment droit AB de deux manières :

• triangle $\widehat{AOB}$, on a $AB = 2 \times R \times \sin\left(\frac{\alpha}{2}\right)$ (base d'un triangle isocèle de côté R et d'angle α) ;

• triangle $\widehat{ACB}$, on a $AB = 2 \times R \times \cos\beta \times \sin\left(\frac{\gamma}{2}\right)$ (base d'un triangle isocèle de côté $R \times \cos\beta$, et d'angle γ).

On déduit des deux formules $\sin\left(\frac{\alpha}{2}\right) = \cos\beta \times \sin\left(\frac{\gamma}{2}\right)$, soit

$$\gamma = 2 \times \arcsin\left(\frac{\sin\left(\frac{\alpha}{2}\right)}{\cos\beta}\right)$$

[la fonction arcsin, dite « arcsinus », est l'inverse de la fonction sinus : si $\sin\gamma = X$, alors $\gamma = \arcsin(X)$].

La distance AB parcourue en suivant le parallèle est, suivant la formule des arcs de cercle :

$$R \times \cos\beta \times \gamma = 2 \times R \times \cos\beta \times \arcsin\left(\frac{\sin\left(\frac{\alpha}{2}\right)}{\cos\beta}\right) \qquad (1)$$

• Pour $\beta = 0°$, soit $\cos\beta = 1$, à l'équateur, on retrouve en appliquant la formule *(1)* la même valeur $2 \times R \times \arcsin\left(\sin\frac{\alpha}{2}\right) = R \times \alpha$, le chemin orthodromique est égal au chemin loxodromique.

• Pour $\beta = 60°$ par exemple, soit $\cos\beta = \frac{1}{2}$, on trouve pour le chemin loxodromique *via* le parallèle, toujours en appliquant la formule *(1)*, la valeur $R \times \arcsin\left(2 \times \sin\frac{\alpha}{2}\right)$, on démontre qu'elle est supérieure à $R \times \alpha$:

$$\sin\alpha = 2 \times \sin\left(\frac{\alpha}{2}\right) \times \cos\left(\frac{\alpha}{2}\right) < 2 \times \sin\left(\frac{\alpha}{2}\right).$$

En appliquant à cette identité la fonction arcsinus, qui est une fonction croissante :

$$\alpha < \arcsin\left[2 \times \sin\left(\frac{\alpha}{2}\right)\right].$$

$$R \times \alpha \text{ (orthodromie)} < R \times \arcsin\left[2 \times \sin\left(\frac{\alpha}{2}\right)\right] \text{ (loxodromie)}.$$

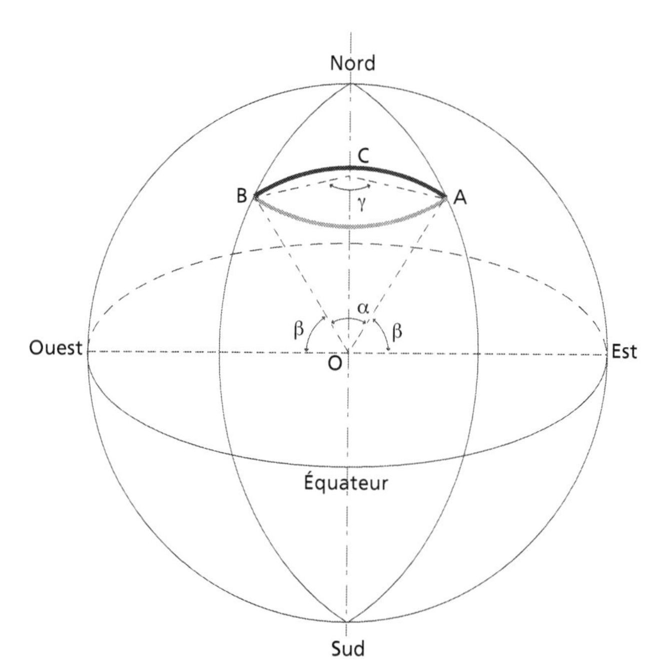

Figure 8.2 : Sphère avec points Naples en A, New York en B ; visualisation des deux cordes d'arc. Les amateurs de voile connaissent bien ces deux navigations possibles : l'orthodromie chemin le plus court, avec changement de cap permanent (AB en gras) ; la loxodromie le chemin plus facile, car à cap constant, mais plus long (AB en gris, parallèle à l'équateur).

Des géométries non euclidiennes

Il a fallu attendre le début du XIXe siècle pour que des mathématiciens sortent du cadre fixé par Euclide, parfaitement adapté à notre vision de l'espace, et inventent des géométries non euclidiennes, qu'on peut classer en deux catégories :

• les géométries hyperboliques (Lobatchevski, Bolaï) ; par un point on peut faire passer une infinité de parallèles à une droite donnée ; la somme des angles d'un triangle est inférieure à π ; l'espace est dit « à courbure négative » ;

• les géométries sphériques (Riemann) ; par un point on ne peut faire passer aucune parallèle à une droite donnée ; la somme des angles d'un triangle est supérieure à π ; l'espace est dit « à courbure positive ».

Ces deux définitions sont à comparer avec la géométrie euclidienne : par un point on peut faire passer une et une seule parallèle à une droite donnée ; la somme des angles d'un triangle est égale à π ; l'espace est dit « à courbure nulle » (une droite euclidienne peut être prolongée à l'infini, son rayon de courbure est infini : la courbure – inverse du rayon de courbure – est nulle).

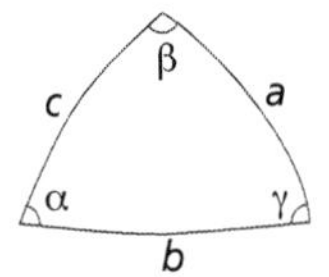

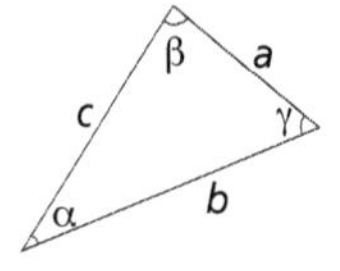

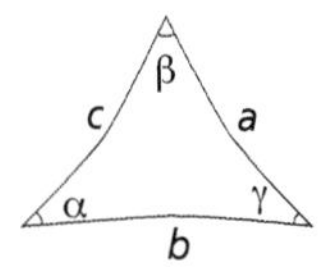

Figure 8.3 : Représentation d'un triangle dans trois géométries différentes.
(à gauche) : triangle sphérique, la somme des angles est supérieure à π.
(au milieu) : triangle euclidien, la somme des angles vaut π.
(à droite) : triangle hyperbolique, la somme des angles est inférieure à π.

Les géométries hyperboliques donnent lieu à divers modèles, détaillons-en un.

Le cercle de Poincaré CP (figure 8.4a et b) est un espace fermé où une droite est définie comme un arc de cercle orthogonal à CP. Deux « droites » sont sécantes quand ces arcs de cercle se coupent. Deux « droites » sont parallèles quand ces arcs ne se coupent pas. On constate que par un point, on peut faire passer une infinité de « droites » parallèles à une « droite donnée ».

La figure 8.4b montre la construction d'un triangle dans le cercle de Poincaré, et le fait que la somme de ses angles est inférieure à π.

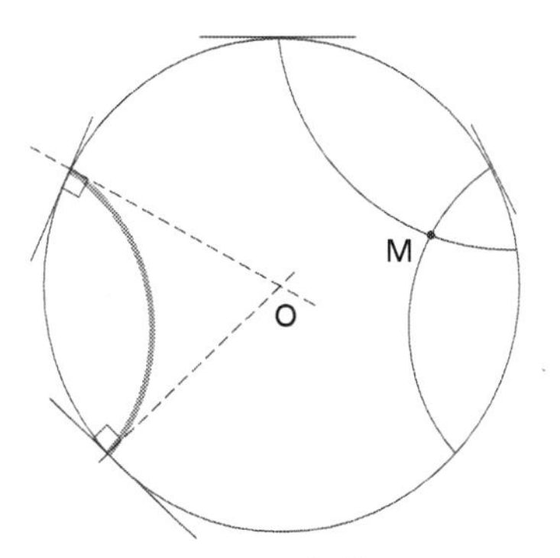

Figure 8.4a : Le cercle de Poincaré,
représentation des droites ; les deux arcs de cercle en M sont des droites sécantes. Elles sont toutes deux « parallèles » à la droite grise.

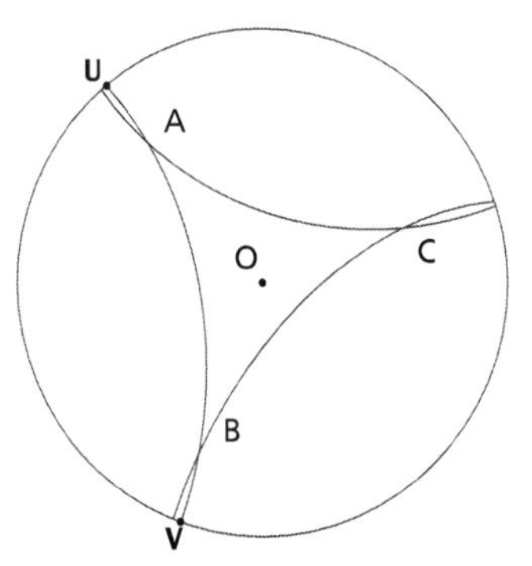

Figure 8.4b : Construction d'un triangle à partir de trois points A, B, C dans le cercle de Poincaré.
Le lecteur pourra construire, à partir de trois points A, B, C quelconques dans le cercle de Poincaré, le triangle hyperbolique A, B, C, dont on vérifie que la somme des angles est inférieure à π. Pour réaliser cette construction géométrique, il convient de remarquer que, pour un point A donné, les centres des cercles tangents (« droites ») passant par A décrivent une droite D perpendiculaire à OA. Pour construire cette droite D, on prend un point M quelconque sur la circonférence, et on obtient le centre du cercle passant par A et M à l'intersection de la médiatrice de AM et de la perpendiculaire à OM.

C'est un modèle d'espace infini (malgré sa représentation euclidienne qui paraît finie), muni pour cela d'une métrique spécifique qui peut être définie comme suit (voir points U et V sur figure 8.4b) :

$$d(A, B) = \left|\operatorname{Log}\left(\frac{\frac{\overline{AU}}{\overline{AV}}}{\frac{\overline{BU}}{\overline{BV}}}\right)\right|$$

où AU mesure la longueur d'arc le long de la « droite » UABV. Plus A se rapproche du bord, plus AU est petit et AV grand, le numérateur tend vers zéro, son logarithme vers l'infini : A s'éloigne indéfiniment de B (même raisonnement pour B quand il se rapproche du bord).

Les « droites » de CP vont donc à l'infini dans le cercle muni de cette métrique.

Le peintre Escher a utilisé dans certains de ses tableaux la géométrie hyperbolique du cercle de Poincaré et la métrique associée :

Figure 8.5 : « Limite circulaire III » (1959), tableau du peintre hollandais Maurits Cornelis Escher (1898-1972).

Nous avons vu au paragraphe précédent un exemple de géométrie sphérique. Une droite y est définie comme un grand cercle de la sphère. Toutes les « droites » se coupent en deux points : il n'existe pas de « droites » parallèles. *A fortiori,* par aucun point on ne peut faire passer de parallèle à une autre « droite ».

Ces « droites » sont bien le chemin le plus court pour aller d'un point à un autre : c'est le chemin orthodromique du grand cercle comme on l'a vu. La sphère de Riemann est un espace sans limite au sens où l'on peut avancer sur la sphère sans jamais s'arrêter.

La figure 8.6 montre la construction d'un triangle sur la sphère de Riemann : dans le cas particulier de ce triangle, il a déjà deux angles droits en B et C, la somme de ses angles est donc supérieure à π.

Par deux points on ne peut faire passer qu'une « droite », *sauf* quand ces points sont diamétralement opposés (points A et D sur la figure), auquel cas on peut faire passer une infinité de « droites » (même le second postulat d'Euclide n'est plus valide).

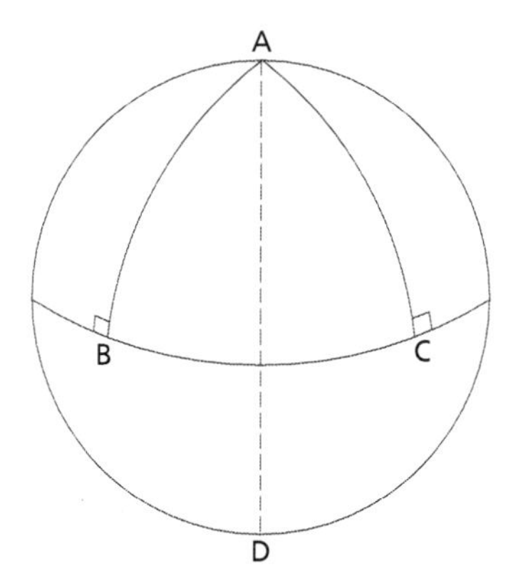

Figure 8.6 : Construction d'un triangle sur la sphère de Riemann. Tous les grands cercles BC sont des équateurs ; le triangle présenté ici est un cas particulier car son troisième sommet A est situé à un des pôles opposés à l'équateur BC.

Enfin, nous avons mentionné, et nous y reviendrons au chapitre 14, que la géométrie sphérique de Riemann est utilisée par Einstein dans l'espace-temps de la relativité générale. Signalons simplement, à ce propos, qu'actuellement les astronomes mesurent effectivement ce qui est appelé « la violation du théorème de Thalès » (qui équivaut à la non-validité du troisième postulat d'Euclide et au fait que la somme des angles d'un triangle est supérieure à π) ; pour un triangle circonscrit à une masse de l'espace-temps – on raisonne là en quatre dimensions, donc le triangle est circonscrit au corps – on mesure la courbure positive suivante de notre espace-temps : $\frac{\alpha + \beta + \gamma - \pi}{\text{Aire}} = \frac{GM}{c^2R^3}$, égale à 10^{-9} pour la Terre, 10^{-6} pour le Soleil, et pouvant aller jusqu'à 20 % pour de grandes étoiles.

CHAPITRE 9

Limites de la logique le théorème de Gödel

Même dans les sciences non empiriques comme les mathématiques, il faut abandonner l'espoir de construire des systèmes formels tels que tout énoncé vrai y soit démontrable. Cela signifie que tout système suffisamment complexe engendre des conséquences qui échappent à ses capacités de preuve.

H. ZWIRN, *Les limites de la connaissance*

Les mathématiques allaient connaître une véritable révolution au tournant du XXe siècle. Exactement contemporaine de la révolution de la nouvelle physique (mécanique quantique, relativité, radioactivité), elle est nettement moins connue ; elle prouve en tout cas la richesse de cette période qui voyait aussi d'autres évolutions majeures dans l'art par exemple (Art nouveau, naissance de l'abstraction). La Belle Époque le fut aussi pour les sciences.

Cette révolution mathématique est symbolisée par la théorie des ensembles de Cantor[1] à partir de 1880, les axiomes de l'arithmétique de Peano en 1899, et la formulation par Hilbert en 1900 des vingt-trois problèmes mathématiques à résoudre au XXe siècle.

Le paradoxe de Russell

Ce paradoxe logique, qui a par la suite nécessité une conceptualisation plus fine de la théorie des ensembles de Cantor, a été

1. La théorie des ensembles allait donner naissance en 1970 aux « mathématiques modernes » dans l'enseignement secondaire français dès la sixième, avec des conséquences fastes et néfastes, la moindre de ces dernières n'étant pas les inévitables retours de balancier qui allaient suivre.

exposé par le mathématicien et philosophe anglais Bertrand Russel (1872-1970)[1].

Il y a deux sortes d'ensembles, les ensembles normaux, qui ne se contiennent pas eux-mêmes comme élément, et les ensembles non normaux, qui se contiennent eux-mêmes.

• À titre d'exemple, l'ensemble des physiciens est un ensemble normal car ce n'est pas un physicien. L'ensemble des mots de ce texte est un ensemble normal.

• À titre d'exemple, l'ensemble des choses pensables est un ensemble non normal, car c'est lui-même une chose pensable.

Considérons à présent N, l'ensemble des ensembles normaux. La question est : N est-il normal ? Pour essayer de répondre à cette question, on applique deux raisonnements par l'absurde successifs :

• Supposons que N soit normal, alors il est dans N puisque N est l'ensemble des ensembles normaux. N se contient donc lui-même et par conséquent N est non normal.

• Supposons que N soit non normal, alors il se contient lui-même, par définition des ensembles non normaux ; or les éléments de N sont tous des ensembles normaux, par définition de N ; donc N, qui est un de ses propres éléments, est normal.

Ce qu'on résume sous le paradoxe suivant : N est normal si et seulement s'il est non normal[2].

Les axiomes d'une théorie mathématique

Une théorie mathématique est fondée sur un certain nombre d'axiomes ou postulats. On a vu au chapitre précédent les postu-

1. Russell, issu d'une famille d'aristocrates anglais, fut à la fois mathématicien, logicien, philosophe (*cf.* son livre de 1922 sur la relativité, bibliographie [20]), prix Nobel de littérature en 1950, pacifiste engagé : en 1918 il connut les prisons anglaises pour un article pacifiste, et en 1954 il lança le fameux manifeste « Russell-Einstein » contre la bombe atomique.

2. Ce type de raisonnement est similaire à ceux qu'on rencontre dans des jeux largement répandus, notamment celui des gardiens de porte qui mentent ou disent la vérité.

lats de la géométrie, posés trois siècles avant notre ère par Euclide.

L'arithmétique, elle, est axiomatisée tardivement, en 1899. Descartes et Fermat n'avaient en effet pas besoin d'axiomes pour entretenir une correspondance visant à se faire connaître des nombres premiers et des couples de nombres amicaux ! Ce n'est que plus tard, avec la progression des mathématiques et la nécessité d'une logique commune, que ce besoin de conceptualisation de l'arithmétique se fait sentir.

Les cinq axiomes donnés par Peano en 1899 à l'arithmétique sont les suivants :

- Zéro est un nombre.
- Le successeur immédiat d'un nombre est un nombre.
- Zéro n'est pas le successeur immédiat d'un nombre.
- Il n'existe pas deux nombres distincts ayant le même successeur immédiat.
- Si une propriété est vérifiée par zéro et qu'elle est vérifiée par le successeur immédiat de tout nombre la vérifiant, alors elle est vérifiée par tout nombre.

On retrouve dans le cinquième axiome[1] le principe du raisonnement par récurrence exposé dans le chapitre 3.

Le paradoxe de Richard

C'est le mathématicien français Jules Richard (1862-1956) qui invente en 1905 ce paradoxe. Il est similaire dans son principe au paradoxe de Russell, mais a pour champ l'arithmétique comme le théorème de Gödel.

Richard fait correspondre l'ensemble des propriétés des nombres entiers positifs, définies dans un langage comme le français à partir de notions dites « primitives » non définies car supposées

1. Ce principe est tellement intuitif qu'on ne peut manquer de réagir au cinquième axiome de Peano comme nos Anciens le faisaient face au troisième axiome d'Euclide (voir chapitre précédent), en se disant que c'est un axiome « évident » qu'on doit pouvoir déduire des autres axiomes. Ce n'est pas le cas.

intuitives. Ainsi la propriété définissant un nombre premier est « qui n'est divisible que par lui-même et par 1 » (« divisible » fait partie des notions dites primitives).

Chaque définition de propriété arithmétique possède un certain nombre de lettres, elles sont classées ainsi par nombre de lettres croissant ; en cas d'égalité de nombre de lettres, les définitions sont classées par ordre alphabétique. De cette manière un dénombrement de toutes les propriétés arithmétiques est effectué, chacune étant associée à un nombre entier positif.

On définit un nombre comme richardien s'il ne possède pas la propriété à laquelle il est associé dans ce dénombrement, et comme non richardien s'il la possède. Par exemple, la propriété « qui n'est divisible que par lui-même et par 1 » étant associée au nombre 37 (car elle possède 37 signes), ce nombre est non richardien car il vérifie la propriété.

Le fait d'être richardien est une propriété des nombres entiers, elle peut donc être mise en relation dans ce dénombrement avec un entier, appelé n.

La question est « n est-il richardien ? » : si l'on répond oui, alors il vérifie la propriété qu'il définit, donc il est non richardien ; si l'on répond non, alors il est non richardien, par définition il vérifie (comme 37) la propriété qu'il définit, cette propriété étant d'être richardien, il est richardien.

Donc n est richardien si et seulement s'il ne l'est pas.

Un aperçu du théorème de Gödel[1] *(1931)*

Jusqu'au début du XXe siècle, les mathématiciens étaient persuadés qu'on pouvait démontrer toutes les vérités mathématiques par déduction, à savoir que tout ce qui était vrai était démontrable.

---

1. « Über formal unentscheidbare Sätze der *Principia Mathematica* und verwandter Systeme » (Sur les propositions formellement indécidables des *Principia Mathematica* et des systèmes apparentés). *Principia Mathematica* était justement une œuvre de Russel (et de son collègue Whitehead) parue à partir de 1910.

Le mathématicien et logicien allemand Gödel (1906-1978) démontre que pour un système formel donné comme l'arithmétique :

• Il se peut que dans certains cas, on puisse démontrer une chose et son contraire : c'est ce qu'on appelle l'inconsistance[1] du système (un système est dit *consistant* si les seules formules démontrables sont celles qui sont vraies).

• Il existe des vérités mathématiques qu'il est impossible de démontrer à l'intérieur du système lui-même : c'est ce qu'on appelle l'incomplétude du système (un système est dit *complet* si toute formule supposée vraie y est démontrable).

L'énoncé de ce second point par Gödel est le suivant : « Tout système formel consistant, et susceptible de formaliser en son sein l'arithmétique des entiers, est incomplet » (théorème d'incomplétude de Gödel).

Il est difficile d'illustrer le théorème de Gödel, car il fait appel à des concepts logiques abstraits. À signaler d'ailleurs que lors de sa publication, ce théorème était compris de peu de personnes et tomba dans l'oubli pendant un certain temps[2] ; on peut le comparer, à ces deux égards, à la théorie de la relativité générale[3].

• Le théorème de Gödel en 1931 a été un coup important contre la démarche de Hilbert en 1900, à savoir l'énoncé de 23 propositions mathématiques à démontrer. Illustrons cela par le fait que le deuxième problème de Hilbert « Démontrer la consistance de la

---

1. Nous avons conservé le terme « consistant » issu de l'anglais ; le terme français originel s'applique à un objet, pas à une idée. Le dictionnaire Robert nous donne « *Logique,* terme issu de l'anglais en 1957, un système consistant est un système dans lequel deux théories contraires ne peuvent être démontrées à la fois ». Le terme français « cohérent » aurait pu aussi être utilisé, mais l'usage a consacré « consistant ».

2. Ce n'est qu'à la parution en anglais en 1958 du remarquable livre de Nagel et Newman (bibliographie [11]) que les travaux de Gödel ont commencé à être plus largement connus. Ce chapitre 9 s'en inspire librement.

3. D'ailleurs Gödel et Einstein, ayant tous les deux fui l'Allemagne avant la Seconde Guerre mondiale, se sont retrouvés à Princeton à l'Institute for Advanced Studies, et Einstein s'est lié d'amitié avec Gödel. À ce sujet, on pourra lire P. Yourgrau, *Einstein et Gödel,* Dunod, 2005.

théorie arithmétique » est rendu sans objet par le théorème de Gödel ; et plus généralement est battue en brèche la démarche de Hilbert visant à ériger des principes démontrables dans l'absolu[1]. Certains non-scientifiques ont interprété cette remise en cause de la démarche de Hilbert comme une preuve du caractère non transcendantal et non immanent des mathématiques, forçant certains mathématiciens à « redescendre sur terre » ; mais il s'agit là d'interprétations très subjectives du théorème de Gödel, baptisées la « gödelite », ou l'art d'évoquer ce théorème à tout propos, comme on en verra certaines ci-dessous.

• De manière plus patente encore, il est démontré en 1970 que le dixième problème de Hilbert, à savoir la possibilité de trouver un algorithme de résolution des équations diophantiennes (solutions en nombres entiers des équations algébriques exposées en chapitre 2) est indécidable. C'était le premier exemple concret d'indécidable au sens de Gödel ; de nombreux mathématiciens avaient tendance à considérer, que la proposition indécidable mise en avant par Gödel (proposition G, *cf.* ci-dessous) était trop abstraite et complexe, et que dans les mathématiques courantes, on ne trouverait jamais d'indécidable. L'exemple des équations diophantiennes les a détrompés, montrant qu'on pouvait mettre le doigt sur un indécidable.

• La conjecture de Goldbach (« tout nombre pair est la somme de deux nombres premiers », voir chapitre 4) qui n'a jamais été démontrée, pourrait être vraie, mais non décidable dans le corpus de l'arithmétique auquel elle appartient.

1. Parmi les vingt-trois problèmes de Hilbert, le sixième problème, balayé par la nouvelle physique de 1905 et aujourd'hui oublié, montre bien l'ambition de la démarche et les critiques qu'elle a suscitées *a posteriori* : « Peut-on axiomatiser la physique ? »

Les « nombres de Gödel », ses outils mathématiques

Gödel n'était pas à la base un logicien ou un philosophe, mais un mathématicien qui s'était forgé ses propres outils, appelés « nombres de Gödel ». Cette création illustre comment un langage de signes et de propositions peut être transformé de manière biunivoque en un ensemble de nombres.

Les nombres de Gödel permettent de dénombrer l'ensemble des propositions de l'arithmétique, de former une « méta-arithmétique ». Il y a plusieurs méthodes possibles pour les construire, décrivons l'une d'entre elles.

• Aux signes et constantes (=, 0, ∃[1]...) sont associés les chiffres 1 à 10, par exemple $\exists \leftrightarrow 4$ $s \leftrightarrow 7$ $(\leftrightarrow 8$ $) \leftrightarrow 9$ etc.

• Aux variables, par exemple x, y, z, sont associés les nombres premiers supérieurs à 10 : $x \leftrightarrow 11$ $y \leftrightarrow 13$ $z \leftrightarrow 17$ etc.

• À toute « variable propositionnelle » de type p, q, r on associe le carré d'un nombre premier supérieur à 10 : $p \leftrightarrow 11^2$, $q \leftrightarrow 13^2$, $r \leftrightarrow 17^2$.

• Ainsi on peut construire le nombre de Gödel de la phrase « Il existe un nombre qui est le successeur de zéro », soit $(\exists x)(x = s0)$, formule de dix signes qui correspond aux dix nombres suivants :

(	∃	x	)	(	x	=	s	0	)
8	4	11	9	8	11	5	7	6	9

• Le nombre de Gödel correspondant est bâti en élevant les nombres premiers successifs aux puissances de cette suite de nombres :

$$(\exists x)(x = s0) \qquad (1)$$

est associé à

$$2^8 \times 3^4 \times 5^{11} \times 7^9 \times 11^8 \times 13^{11} \times 17^5 \times 19^7 \times 23^6 \times 29^9 \qquad (ng1)$$

1. Notations courantes en mathématiques : ∃ signifie « il existe », s (introduit par les axiomes de Peano) signifie « successeur de » ; 0 est une constante car faisant partie des axiomes.

Un nombre de Gödel est ainsi associé à tout ce qui peut s'écrire en arithmétique ; l'ensemble des nombres de Gödel constitue une méta-arithmétique dénombrant l'ensemble des propositions pouvant être formulées en arithmétique.

On constate au passage, et on le verra avec l'esquisse de démonstration ci-dessous, que la mise en correspondance entre méta-arithmétique et arithmétique est, par le truchement des nombres de Gödel, beaucoup plus rigoureuse que la tentative qui en avait été faite vingt-cinq ans avant dans le paradoxe de Richard.

Une esquisse du théorème de Gödel

• (1) On définit *Dem(x,z)*, fonction des deux nombres de Gödel x et z, comme correspondant à l'assertion métamathématique suivante : « La succession de formules qui porte le nombre de Gödel x est une démonstration de la formule qui porte le nombre de Gödel z. »

• (2) On définit *sub(m,13,m)* le nombre de Gödel obtenu comme suit : soit une formule F où figure une variable de type y, formule ayant pour nombre de Gödel m ; on substitue dans cette formule m à y, m n'étant plus une variable mais un nombre défini comme m = ssss......0 (le m^e successeur de 0) ; *sub(m,13,m)* est le nombre de Gödel associé à cette nouvelle formule, quand on a remplacé la variable y par le nombre m[1].

On trouve là une ébauche du fameux « argument diagonal », à savoir qu'on réinjecte dans une formule F un nombre lié à cette formule F, ce qui est symbolisé par la double présence de m dans *sub(m,13,m)*.

1. Ou, pour être plus complet et pour expliquer chacun de trois termes de sub(m, 13, m) : c'est le nombre de Gödel associé à la nouvelle formule F', quand on a remplacé dans la formule F portant le nombre de Gödel m (premier m), la variable y (nombre de Gödel 13) par le nombre m lui-même (second m). Une notation plus correcte serait sub(F, 13, m), mais nous garderons le raccourci sub(m, 13, m).

• (3) On écrit la proposition *(x) ~ Dem(x,z),* qui signifie : « Pour tout x, la succession de formules qui porte le nombre de Gödel x n'est pas une démonstration de la formule qui porte le nombre de Gödel z. » En sortant de la méta-arithmétique pour nous ramener à des termes courants, cette proposition signifie que la formule portant le nombre de Gödel z n'est pas démontrable.

• (4) On raisonne sur l'assertion *(x) ~ Dem(x,sub(y,13,y)),* et en remplaçant dans la phrase précédente en (3) *z* par *sub(y,13,y)),* on interprète cette assertion comme « La formule qui porte le nombre de Gödel sub(y,13,y) n'est pas démontrable ».

• (5) On s'intéresse à présent à un cas particulier de l'assertion ci-dessus en (4). Cette assertion méta-arithmétique a un nombre de Gödel n, et on construit la formule G en réinjectant n dans la formule dont il est le nombre de Gödel (nouvelle apparition de l'argument diagonal) , soit :

(x) ~ Dem(x,sub(n,13,n)) **(G)**

• (6) Quel est le nombre de Gödel de la formule G ? Elle a été construite en réinjectant, dans la formule en (4) portant le nombre de Gödel n, le nombre n lui-même à la place de la variable y. C'est exactement la définition de *sub* donnée en (2), et le nombre de Gödel de la formule G est, par cette définition (2), le nombre sub(n,13,n).

• (7) Or, d'après (4), la signification de G est « La formule qui porte le nombre de Gödel sub(n,13,n) n'est pas démontrable », c'est-à-dire, en tenant compte de (6), « G n'est pas démontrable ».

On a ainsi construit une formule arithmétique G qui exprime d'elle-même qu'elle n'est pas démontrable.

• (8) Le raisonnement n'est pas tout à fait terminé (en première lecture on pourra s'arrêter à l'étape 7), il convient en effet de vérifier *formellement* que G n'est pas démontrable. Raisonnons par l'absurde. Si G est démontrable, alors il existe une suite de formules arithmétiques, avec nombre de Gödel k, telle que cette suite soit la démonstration de G, ce qu'on peut écrire, en suivant (1), Dem(k, nombre de Gödel de G), soit en suivant (6) « Dem(k,sub(n,13,n)) est une formule arithmétique vraie ».

Or, c'est le seul point que nous admettrons, Gödel démontre que si une proposition de type Dem(x,z) entre deux nombres est vraie, alors elle est démontrable. En aucun cas une proposition de type Dem(x,z) ne fait partie des indécidables.

Donc Dem (k,sub(n,13,n)) est vraie et démontrable, et en redécomposant cette proposition suivant sa définition (1), on a :

« Il existe x, égal à k, tel que Dem (k, sub(n,13,n)) »

Ce qui est la négation formelle de :

« Quel que soit x, x ne vérifie pas Dem (x,sub(n,13,n)) »

C'est donc la négation formelle de G, soit ~ G.

On voit donc que si G est démontrable, ~ G l'est aussi, et *vice versa*. Donc, si le corpus dans lequel on se place est consistant, c'est-à-dire qu'une telle situation est impossible, alors G est un *indécidable* de ce corpus.

La « gödelite », ou des interprétations très extensives du travail de Gödel

Comme on le voit, la démonstration de Gödel fait appel à un raisonnement mathématique précis, et rigoureux en ce qui concerne le domaine, arithmétique ou méta-arithmétique, où se place chacune des étapes successives du raisonnement. Il s'applique par ailleurs à des systèmes complexes mettant en jeu des ensembles infinis.

Un certain nombre de philosophes, français notamment, ont cependant voulu étendre le champ d'application du théorème de Gödel aux sciences humaines et sociales, appliquant la notion d'indécidabilité à la politique, à la littérature, à la métaphysique...

Parallèlement, ce mouvement s'accompagnait d'une interprétation du théorème de Gödel comme « une limitation drastique imposée à la pensée mathématique ou un coup fatal porté à son arrogance », comme le souligne ironiquement le philosophe Jacques Bouveresse, professeur au Collège de France (bibliographie [9]).

Citons-le encore[1] qui, fustigeant le « principe de Debray-Gödel », relativise ainsi l'extension du domaine de Gödel[2], en rappelant à ses confrères philosophes que c'est avant tout une découverte mathématique qui ne s'applique pas aux sciences humaines :

> « Mais si cet indécidable-là n'appartient plus à l'ordre du calcul, il est impossible d'utiliser le théorème de Gödel pour en parler... Là où il n'y a pas de place pour la formalisation et la notion de procédure formelle, il n'y a tout simplement pas non plus de place pour une indécidabilité de type gödelien[3]. »

Un florilège de la gödelite et autres paraphrases scientifiques

On illustre ici, à titre d'exemple, certaines citations du livre que Sokal et Bricmont ont consacré à l'utilisation indue de termes scientifiques dans la philosophie et la sociologie. À l'inverse des précautions que prennent Sokal et Bricmont, nous sortons ici les citations de leur contexte[3].

• « La notion de constructibilité qu'implique l'axiome du choix associé à tout ce que nous venons de poser pour le langage poétique, explique l'impossibilité d'établir une contradiction dans l'espace du langage poétique. Cette constatation est proche de la constatation de Gödel concernant l'impossibilité d'établir la contradiction d'un système par des moyens formalisés dans ce

1. Jacques Bouveresse, *Qu'appellent-ils « penser » ?*, conférence du 17 juin 1998 à l'Université de Genève, sur Internet avec l'autorisation de l'auteur (http://un2sg4.unige.ch/athena/bouveresse/bou_pens.html).
2. Cette polémique a été lancée par l'intéressant pamphlet *Impostures intellectuelles*, Alan Sokal et Jean Bricmont, Odile Jacob, Paris, 1997.
3. Pour être complet (au sens de Gödel), il faut signaler qu'un certain nombre de scientifiques ont fait paraître un livre en réponse à Sokal et Bricmont, *Impostures scientifiques*, sous la direction de B. Jurdant (Éditions La Découverte, 1998). Ils prennent la défense des philosophes mis en cause, sur la base des deux principaux arguments de la liberté de pensée et d'écriture, et de la nécessité que des médiateurs – comme les philosophes – s'approprient le langage scientifique.

système » (Julia KRISTEVA, *Recherches pour une sémanalyse*, Seuil, 1969,P. 189-190)[1].

• « C'est ainsi que l'organe érectile vient à symboliser la place de la jouissance, non pas en tant que lui-même, ni même en tant qu'image, mais en tant que partie manquante à l'image désirée : c'est pourquoi il est égalable au $\sqrt{(-1)}$ de la signification plus haut produite, de la jouissance qu'il restitue par le coefficient de son énoncé à la fonction de manque de signifiant : – 1 » (Jacques LACAN, 1971, « Subversion du sujet et dialectique du désir dans l'inconscient freudien », *in Écrits 2*, Seuil, p. 183-185).

• « L'équation $E = mc^2$ est-elle une équation sexuée ? Peut-être que oui. Faisons l'hypothèse que oui dans la mesure où elle privilégie la vitesse de la lumière par rapport à d'autres vitesses dont nous avons vitalement besoin. Ce qui me semble une possibilité de la signature sexuée de l'équation, ce n'est pas directement ses utilisations par les armements nucléaires, c'est d'avoir privilégié ce qui va le plus vite » (Luce IRIGARAY, « Sujet de la science, sujet sexué ? », *in Sens et place des connaissances dans la société*, p. 95-121, CNRS, 1987).

• « Le contenu d'une science est social de part en part [...] une indication qui permettrait de dire que la théorie de la relativité elle-même est sociale » (Bruno LATOUR, « A relativistic account of Einstein's relativity », *Social Studies of Sciences*, p. 3-44, 1988).

• « Pour commencer, les opinions des scientifiques sur les sciences studies n'ont pas beaucoup d'importance. Les scientifiques sont les informateurs dans nos investigations sur la science, et pas nos juges. La vision que nous développons de la science ne doit pas ressembler à ce que les scientifiques pensent de la science... » (Bruno LATOUR, « Who speaks for science ? », *The Sciences*, 1995, p. 6-7).

1. « C'est justement le contraire qu'établit Gödel : il est impossible de démontrer la non-contradiction d'un système par des moyens formalisés dans le système lui-même ; en revanche, il est facile d'inventer des systèmes d'axiomes contradictoires, et de démontrer cette contradiction dans le système d'axiomes lui-même » (*in* Sokal et Bricmont, *ibid.).*

• « Si l'identité du sujet se définit par la Spaltung chez Freud, ce mot désigne aussi la fission nucléaire. Nietzsche percevait également son ego comme noyau atomique menacé d'explosion[1] » (Luce IRIGARAY, « Une chance de vivre : limites au concept de neutre et d'universel dans les sciences et les savoirs », *in Sexes et parentés*, Éditions de Minuit, 1987).
• « Car les proto-limites, hors de toutes coordonnées, engendrent d'abord des abscisses de vitesses sur lesquelles se dresseront des axes coordonnables » (Gilles DELEUZE et Félix GUATTARI, *Qu'est-ce que la philosophie ?*, Éditions de Minuit, 1991).

1. En psychanalyse, la *Spaltung* est la dissociation, la coupure interne du patient névrotique. « Quant à la Spaltung , L. Irigaray croit-elle vraiment que cette coïncidence linguistique constitue un raisonnement ? et si oui, que démontrerait-elle ? Quant à Nietzsche (1844-1900), il est là aussi improbable qu'il ait pu avoir une telle perception : le noyau atomique a été découvert en 1911, la fission nucléaire en 1919 » (*in* Sokal et Bricmont, *ibid.).*

CHAPITRE 10

Incertaines probabilités

Laissons le soin au mathématicien français Laplace (1825, bibliographie [14]) de donner cette définition très claire :

> « La théorie des hasards consiste à réduire tous les événements du même genre à un certain nombre de cas également possibles, c'est-à-dire tels que nous soyons également indécis sur leur existence, et à déterminer le nombre de cas favorables à l'événement dont on cherche la probabilité. Le rapport de ce nombre à celui de tous les cas possibles est la mesure de cette probabilité qui n'est ainsi qu'une fraction, dont le numérateur est le nombre des cas favorables et dont le dénominateur est le nombre de tous les cas possibles. »

Nous allons voir dans ce chapitre, à travers une série d'exemples, comment le maniement des probabilités est beaucoup moins clair que cette définition ne le laisse penser, et parfois quasi contre-intuitif. Et ce alors que les probabilités imprègnent notre vie quotidienne dans de nombreux domaines, et que nous semblons les avoir totalement intégrées : sondages, actions en bourse, jeux et paris...

Les probabilités de gain des joueurs sont proportionnelles à leurs fortunes !

Soit un joueur A possédant une fortune « a » et un joueur B plus pauvre une fortune « b » (b < a). À chaque partie de pile ou face, le perdant donne un de ses jetons au gagnant. On cherche la probabilité pour que le joueur A gagne la totalité des jetons du joueur B.

• On définit tout d'abord l'espérance mathématique d'un jeu comme le produit du gain par la probabilité qu'il a de se réaliser. Pour le jeu de pile ou face, on gagne 1 avec une probabilité $\frac{1}{2}$, on perd 1 avec une probabilité $\frac{1}{2}$, E = espérance $=1\times\frac{1}{2}+(-1)\times\frac{1}{2}=0$; c'est ce qu'on appelle un « jeu à somme nulle ». Cela est vrai pour le jeu de pile ou face à plusieurs tirages, puisque ces tirages sont indépendants, et que l'espérance est nulle à chaque fois.

Au jeu de pair et impair sur dix chiffres (par exemple le jeu de « boule » au casino, allant de 0 à 10 ; quand le 0 « tombe », tous les gains vont à la banque), il y a $\frac{5}{11}$ chances de gagner quand on parie « pair » ou « impair », et $\frac{6}{11}$ chances de perdre, l'espérance est $E = 1\times\frac{5}{11}+(-1)\times\frac{6}{11}=-\frac{1}{11}$. L'espérance de gain du joueur est négative, comme dans tous les jeux de casino.

Dans le jeu qui nous intéresse, jeu de pile ou face entre A et B, on évalue l'espérance de deux manières :

• Comme le jeu est sans limitation de durée, soit le joueur A finit par gagner la somme « b » (événement à probabilité P), soit il perd la somme « a » (événement à probabilité 1 – P). L'espérance du joueur A est donc $E = b\times P - a\times(1-P)$.

• Or on sait que E = 0 (le jeu de pile ou face est à somme nulle), donc :

$$b\times P - a\times(1-P) = 0$$

$$P = \frac{a}{a+b}.$$

Le joueur A a la probabilité $\frac{a}{a+b}$ de ruiner B, le joueur B a la probabilité $\frac{b}{a+b}$ de ruiner A, cette deuxième probabilité étant plus faible puisque $b < a$.

Le joueur le plus riche a une probabilité supérieure de gagner la fortune du plus pauvre que l'inverse, ce que Louis Bachelier[1] résume ainsi (bibliographie [12]) : « Les probabilités de gain des joueurs sont proportionnelles à leurs fortunes. »

Si un événement a une probabilité $\frac{1}{100}$, y a-t-il une chance sur deux qu'il se produise avant le 50e coup ?

On prend un événement qui a une probabilité $\frac{1}{100}$: il faut tenter, en moyenne, 100 coups pour qu'il se produise.

L'intuition commune (première discussion probabiliste, qui eut lieu entre Blaise Pascal et le chevalier de Méré en 1654) conduit parfois à conjecturer[2] : « Si un événement a une probabilité $\frac{1}{100}$, il y a une chance sur deux qu'il se produise avant le 50e coup. »

Cette intuition est fausse : il y a une chance sur deux qu'il se produise avant le 69e coup.

Appelons p_n la probabilité qu'il se soit produit au n^e coup.

On a $p_1 = \frac{1}{100}$, et $p_n = p_{n-1} + (1 - p_{n-1}) \times \frac{1}{100}$.

• En effet, p_n est la somme de deux possibilités, celle que l'événement ait eu lieu dans les $(n-1)$ premiers coups *(événement A)*, soit p_{n-1}, et celle que l'événement ait lieu au n^e coup *(événement B)*

1. Louis Bachelier (1870-1946), premier statisticien, a une œuvre remarquable méconnue de son vivant ; Mandelbrot a entrepris à juste titre de le réhabiliter (bibliographie [33]).
2. Le calcul stochastique, branche importante des probabilités utilisée dans la finance notamment, tient son nom du grec *stochastikos*, conjecture.

sachant qu'il n'a pas eu lieu dans les (n – 1) premiers coups *(événement C)* : cette dernière est appelée une probabilité conditionnelle, c'est le produit des probabilités des deux événements indépendants B et C, soit $(1 - p_{n-1}) \times \frac{1}{100}$.

Donc $p_n = p_{n-1} + (1 - p_{n-1}) \times \frac{1}{100} = \frac{1}{100} + \frac{99}{100} \times p_{n-1}$

• Or, pour toute suite de la forme $p_n = a + b \times p_{n-1}$, on démontre par récurrence (voir chapitre 3) que $p_n = a \times (1 + b^2 + b^3 + \ldots + b^{n-2}) + b^{n-1} \times p_1$, soit :

$$p_n = a \times \left(\frac{1 - b^{n-1}}{1 - b}\right) + b^{n-1} \times p_1.$$

Dans le cas particulier nos valeurs sont $b = \frac{99}{100}$, $a = 1 - b = p_1$; nous trouvons :

$$p_n = a \times \left(\frac{1 - b^{n-1}}{1 - b}\right) + b^{n-1} \times p_1 = (1 - b) \times \left(\frac{1 - b^{n-1}}{1 - b}\right) + b^{n-1} \times (1 - b)$$
$$= 1 - b^n.$$

• Le nombre n pour lequel il est équiprobable que l'événement ait lieu avant ou après, soit $p_n = \frac{1}{2}$, peut se calculer comme suit :

$$b^n < \frac{1}{2}, \text{ soit } \left(\frac{99}{100}\right)^n < \frac{1}{2}, \text{ soit } n > \frac{\text{Log}2}{\text{Log}100 - \text{Log}99}, \text{ soit } n > 69.$$

Revenons sur notre événement : il faudra, en moyenne, tenter 100 épreuves pour que l'événement se produise.

Vraisemblablement, un nombre moindre d'épreuves sera nécessaire puisqu'il y a une chance sur deux que l'événement se produise avant 69 épreuves (la valeur probable du nombre de coups est 69, c'est-à-dire qu'il est plus probable que l'événement ait lieu dans les 69 premiers coups qu'après). Mais la valeur moyenne de 100 tient compte des cas où, par suite d'un caprice du hasard, il faudrait attendre fort longtemps pour voir l'événement se produire.

Les probabilités des causes

Soit un événement qui peut être le produit de plusieurs causes différentes : la probabilité des causes consiste à trouver la probabilité qu'une de ces causes soit à l'origine de cet événement.

Soit deux urnes U_1, contenant 8 boules rouges et 2 blanches, et U_2, contenant 10 boules rouges et 10 boules blanches. On tire au sort une urne (chacune des deux urnes a une probabilité identique d'être tirée au sort), puis une boule à l'intérieur de cette urne. Sachant que cette boule est rouge (événement E), quelle est la probabilité que cette boule vienne de l'urne U_1 ?

• On applique la « formule de Bayes », qu'on ne démontre pas ici mais qui est assez intuitive :

$$P_E(U_1) = \frac{P(U_1) \times P_{U_1}(E)}{P(U_1) \times P_{U_1}(E) + P(U_2) \times P_{U_2}(E)}.$$

$P_E(U_1)$ est la probabilité recherchée, à savoir connaissant l'événement E (la boule sortie est rouge), la probabilité que cette boule sorte de U_1.

$P(U_1) = P(U_2) = \frac{1}{2}$, le tirage au sort de chacune des deux urnes est équiprobable.

$P_{u_1}(E)$ est la probabilité de l'événement E au cas où on a tiré la boule dans U_1, c'est la probabilité de tirer une boule rouge dans U_1 : $P_{U_1}(E) = \frac{8}{10} = 0{,}8$.

$P_{u_2}(E)$ est la probabilité de l'événement E au cas où l'on a tiré la boule dans U_2, c'est la probabilité de tirer une boule rouge dans U_2 : $P_{U_2}(E) = \frac{5}{10} = 0{,}5$

• La « probabilité de la cause » cherchée est

$$P_E(U_1) = \frac{\frac{1}{2} \times 0{,}8}{\frac{1}{2} \times 0{,}8 + \frac{1}{2} \times 0{,}5} = \frac{8}{13} = 0{,}615.$$

• La probabilité complémentaire, à savoir celle que la boule rouge vienne en fait de l'urne U_2, est $P_E(U_2) = \dfrac{\frac{1}{2} \times 0,5}{\frac{1}{2} \times 0,8 + \frac{1}{2} \times 0,5} = \dfrac{5}{13} = 0,385$.

Les dates d'anniversaire communes

À partir de combien de personnes dans une même pièce la probabilité que deux d'entre elles aient leur anniversaire le même jour est-elle plus forte que la probabilité que toutes aient une date d'anniversaire différente ? (Par simplification on neutralise le 29 février dans le calcul).

Pour n personnes différentes, on calcule la probabilité pour qu'aucune d'entre elles n'ait sa date d'anniversaire le même jour qu'une autre, on trouve :

• nombre de cas favorables $365 \times 364 \times 363 \times \ldots (365 - n + 1) = \dfrac{365!}{(365-n)!}$. On raisonne ainsi : pour la première personne 365 cas possibles pour sa date d'anniversaire, pour la seconde personne 364 cas possibles puisqu'il ne peut avoir sa date d'anniversaire le même jour que la première, etc.

• nombre de cas totaux : $365 \times 365 \times \ldots \times 365 = 365^n$.

La probabilité pour qu'aucune personne n'ait sa date d'anniversaire le même jour qu'une autre est :

$$\frac{\text{nombre de cas favorables}}{\text{nombre de cas totaux}} = \frac{365!}{365^n \times (365-n)!}$$

La probabilité pour que, parmi n personnes, au moins deux personnes aient leur anniversaire le même jour (ce qui représente l'événement contraire du précédent) est

$$p_n = 1 - \frac{365!}{365^n \times (365-n)!}$$

Par application de cette formule, on obtient que, pour n = 23, la probabilité dépasse 50 % puisqu'elle est de 50,6 %.

Il suffit donc qu'il y ait plus de 23 personnes dans une assemblée pour que la probabilité que deux d'entre elles aient leur anniversaire le même jour soit plus de 50 % ; pour 30 personnes, elle monte à 70 % ! (voir figure ci-dessous).

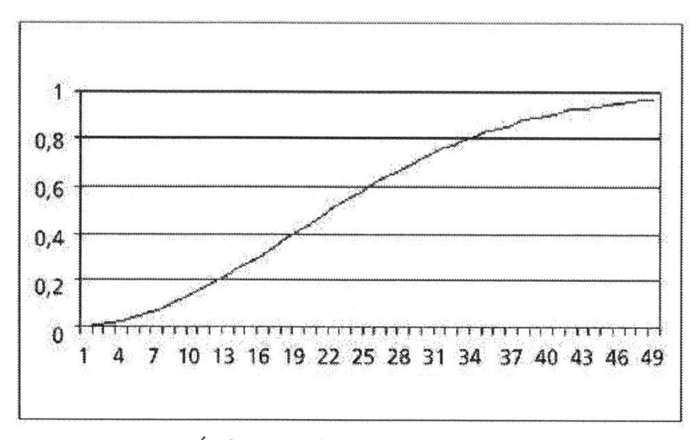

Figure 10.1 : Évolution en fonction du nombre de personnes de la probabilité recherchée.

Ce résultat est peu intuitif, car le problème posé est souvent confondu avec une autre question, à savoir « combien faut-il de personnes autour de moi pour qu'au moins une d'entre elles ait la même date d'anniversaire que moi ? »

Les « portes de la mort », de fausses amies

Mentionnons ici un autre jeu probabiliste où l'intuition naturelle est prise en défaut. Vous êtes face à trois portes closes, seule l'une d'elles vous donne le salut, les deux autres vous conduisent à la mort.

Le jeu se déroule en deux étapes ; dans la première étape vous indiquez une porte sans l'ouvrir ; dans la deuxième étape, le destin

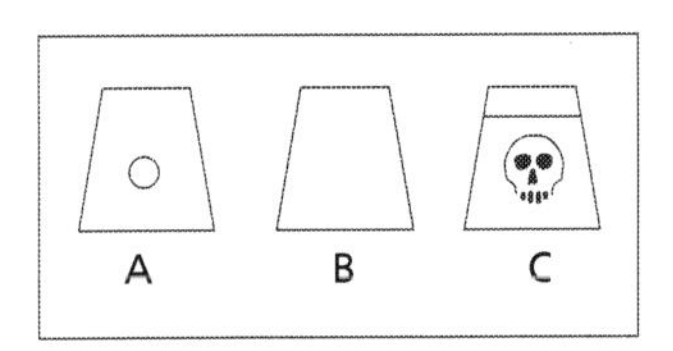

Figure 10.2 : Jeu des trois portes. En première étape le joueur a indiqué la porte A (un cercle symbolise ce choix à la première étape). Le jeu lui dévoile la porte C.

vous dévoile une des deux autres portes en l'ouvrant. La porte qui vous est dévoilée par le destin (ou par le jeu...) est toujours une porte de la mort (la porte du salut ne vous est jamais indiquée par le jeu).

S'ouvre alors la deuxième étape où vous devez jouer définitivement votre salut, soit en maintenant votre choix initial, soit en choisissant la troisième et dernière porte.

• L'intuition naturelle nous dit qu'il n'y a pas de changement majeur par rapport à la situation initiale, il y a une chance sur deux de gagner le salut en maintenant son choix initial...

• L'analyse précise montre qu'à la deuxième étape, il faut toujours modifier son choix initial, les chances de gagner sont deux fois plus fortes !

La problématique vue du côté du joueur est simple, dans la mesure où il l'accepte : dans ce jeu mieux vaut accepter d'*avoir tort* et ne pas s'entêter sur son choix initial ! Il faut se convaincre en effet que la stratégie de jeu avec changement de choix est *toujours* la bonne.

Les choix initiaux entre les trois portes A, B, C sont équiprobables. Supposons que le joueur choisisse la porte A :

• *1er cas :* la porte A est la porte du salut (probabilité $\frac{1}{3}$). Le jeu indique une des portes B ou C, peu importe ; si le joueur modifie son choix, il perd à coup sûr puisqu'il avait choisi la bonne porte au départ.

• *2e cas :* la porte B est la porte du salut (probabilité $\frac{1}{3}$). Le jeu indique forcément la porte C ; si le joueur modifie son choix, il indique alors B : il gagne à coup sûr puisque c'est la porte du salut.

• *3e cas :* la porte C est la porte du salut (probabilité $\frac{1}{3}$). Le jeu indique forcément la porte B ; si le joueur modifie son choix, il indique alors C : il gagne à coup sûr puisque c'est la porte du salut.

Donc, dans deux cas sur trois (2e et 3e cas), avec une probabilité $\frac{2}{3}$, si le joueur modifie son choix, il gagne de manière certaine ; dans un cas sur trois (1er cas), avec une probabilité $\frac{1}{3}$, si le joueur modifie son choix, il perd de manière certaine.

Le joueur a donc, dans son deuxième choix, deux chances sur trois de gagner s'il modifie son choix initial.

Tout repose sur le fait qu'une contrainte s'impose au jeu au moment où il dévoile une porte : en aucun cas il ne doit ouvrir la porte du salut. Cette contrainte se traduit par une information supplémentaire pour le joueur : si le jeu ouvre la porte B, cela signifie que la porte C a plus de chances d'être la bonne. Le tiers d'incertitude levé par le jeu lorsqu'il dévoile une porte ne se répartit pas uniformément sur les deux autres portes (auquel cas le joueur aurait une chance sur deux dans son second mouvement, comme son intuition le lui souffle à tort), mais « se reporte » intégralement sur la troisième porte, dont la probabilité d'être la bonne double...

Le paradoxe de Condorcet

Après le marquis Pierre-Simon-François de Laplace, c'est le marquis de Condorcet (1743 -1794), Secrétaire perpétuel de l'Académie des Sciences, qui édite en 1785 un opuscule *Essai sur l'application de l'analyse à la probabilité des décisions rendues à la pluralité des voix.* Serait-ce cette remise en cause avant la lettre du système électoral démocratique qui lui fit perdre la tête sous la Terreur ?

Donnons une première illustration simple du paradoxe de Condorcet. Soit une association de 13 000 membres, et trois candidats qui s'en disputent la présidence. Appelons-les par leurs initiales CS, CL et NC.

Les membres peuvent avoir des opinions différentes sur le meilleur président possible de leur association parmi les trois candidats (c'est la démocratie, et l'objet de l'élection à la présidence) ; mais ils peuvent aussi avoir des opinions différentes sur l'ordre préférentiel des trois candidats.

On indique par exemple CS > CL > NC (colonne *I*) les cas où CS est préféré à CL lui-même préféré à NC.

	I			*IV*		*VI*
1	CS > CL > NC	2 500	CS	4 500	CS > NC	7 500
2	CL > CS > NC	3 000	CL	3 500	NC > CS	5 500
3	NC > CL > CS	3 000	NC	5 000		
4	NC > CS > CL	2 000				
5	CL > NC > CS	500				
6	CS > NC > CL	2 000				
		13 000				

Les résultats de l'élection se trouvent dans la colonne *IV* : NC est élu avec 5 000 voix (somme des lignes *3* et *4*), contre 4 500 voix à CS (somme des lignes *1* et *6*) et 3 500 voix à CL (somme des lignes *2* et *5*).

Or le paradoxe réside dans la colonne *VI*, à savoir que le candidat CS est pourtant préféré comme président à NC par 7 500 électeurs (somme des lignes *1*, *2* et *6*), soit 57,7 % des membres !

Étendons maintenant le paradoxe de Condorcet à un scrutin référendaire, par exemple le référendum français sur l'Europe du 29 mai 2005 : l'électeur est invité à voter C (oui à la Constitution européenne) ou NC (non à la Constitution).

Apparaît un débat latéral, à savoir la nature de la Constitution (ou plutôt la représentation que s'en font les électeurs, ou la description qui leur en est faite, voir chapitre 18 sur la mécanique quantique à propos de la réalité et de la description de la réalité) : est-elle libérale (CL, Constitution libérale), ou sociale (CS, Constitution sociale) ?

Le choix se corse alors : s'il n'y a aucune ambiguïté de vote au référendum pour les électeurs des lignes *1* à *4*, apparaissent deux catégories d'électeurs (lignes *5* et *6*), dont l'arbitrage en faveur de C (vote Oui à la Constitution) dépendra de la façon dont ils voient la Constitution, comme sociale ou libérale.

On fait alors la supposition suivante, qui n'a rien de mathématique mais qui correspond à l'analyse qu'ont faite les commentateurs du vote référendaire :

• les électeurs de la ligne *5* votent à 70 % pour la Constitution car ils l'estiment plus libérale que sociale, et donc conforme à leur orientation ;

• les électeurs de la ligne *6* votent à 80 % contre la Constitution car ils l'estiment plus libérale que sociale, et donc contraire à leur orientation.

	I		*III* (*vote C*)	*IV* (*vote NC*)		*VI*
1	CS > CL > NC	2 500	100%		CS > NC	7 500
2	CL > CS > NC	3 000	100%		NC > CS	5 500
3	NC > CL > CS	3 000		100%		
4	NC > CS > CL	2 000		100%		
5	CL > NC > CS	500	70%	30%	C > NC	5 500
6	CS > NC > CL[1]	2 000	20%	80%	NC > C	5 000
		13 000	6 250	6 750		
			48,1%	**51,9%**		

1. Les commentateurs politiques ont baptisé cette catégorie le « non de gauche ».

Nous arrivons donc à une victoire de NC (non au référendum) par 52 % contre 48 %. La ligne *6* a perturbé le vote, NC l'emporte alors que :

• d'un strict point de vue objectif, une Constitution de type social (colonne *VI,* haut) est préférée par 7 500 électeurs sur 13 000, soit 57,7 % (comme le candidat CS pourtant non élu ci-dessus) ;

• si l'on ne tient pas compte des lignes *5* et *6,* c'est-à-dire des électeurs « perturbateurs », le vote C (que ce soit CS ou CL), c'est-à-dire le vote Oui, est majoritaire (colonne *VI,* bas).

π, les probabilités, les nombres premiers

Sous ce titre hétéroclite, puisqu'il mélange des notions *a priori* sans rapport immédiat, nous introduisons l'assertion suivante : « La probabilité Q pour que deux nombres entiers A et B pris au hasard soient premiers entre eux vaut $\frac{6}{\pi^2}$, soit environ 0,608 ! »

On utilise le théorème fondamental de l'arithmétique, à savoir la décomposition unique de tout nombre entier en un produit de puissances de nombres premiers (ce qu'on appelle la décomposition en facteurs premiers, par exemple $63\,882 = 2 \times 3^3 \times 7 \times 13^2$). Pour que deux nombres soient premiers entre eux, il faut et il suffit qu'ils n'aient aucun nombre premier commun dans leur décomposition.

• Soient nos deux nombres entiers A, pris dans une rangée constituée par l'ensemble des entiers naturels $\mathbb{N}$, et B pris dans une autre rangée constituée par l'ensemble des entiers naturels $\mathbb{N}$. Sur les parités respectives de A et B, il y a quatre cas possibles : soit A et B sont pairs, soit ils sont impairs, soit A est pair et B impair, soit A est impair et B pair. La probabilité qu'ils soient tous deux pairs vaut $\frac{1}{4}$.

• La probabilité pour que A et B ne soient pas tous deux pairs vaut donc $\frac{3}{4}$; de la même manière la probabilité pour qu'ils ne soient pas tous deux divisibles par 3 vaut $\frac{8}{9}$, pour qu'ils ne soient pas tous deux divisibles par p premier vaut $\frac{p^2-1}{p^2}$. En effet, il y a p congruences[1] possibles pour A, p pour B, donc p^2 couples de congruences possibles ; seul un de ces p^2 couples correspond à la divisibilité de A et de B par p.

Toutes ces probabilités étant indépendantes, elles sont multiplicatives ; on a :

$Q = \frac{3}{4} \times \frac{8}{9} \times \frac{24}{25} \times \frac{48}{49} \times \ldots = \prod_{\text{premiers}} \frac{p^2-1}{p^2}$, où $\prod_{\text{premiers}}$ désigne un produit infini de termes portant sur les nombres premiers.

• Or les produits eulériens mentionnés au chapitre 4 nous donnent :

$$\sum_{n=1}^{n=\infty} \frac{1}{n^a} = \prod_p \frac{p^a}{p^a-1}.$$

• On applique à a = 2 cette identité de conversion entre un produit infini portant sur tous les nombres premiers et une somme infinie portant sur tous les entiers positifs :

$$\sum_{n=1}^{n=\infty} \frac{1}{n^2} = \prod_p \frac{p^2}{p^2-1} = \frac{1}{Q}.$$

1. On appelle « congruence de A *modulo* p » le reste de la division euclidienne, en nombres entiers, de A par p. Si A est congru à 0 modulo p, il est divisible par p ; s'il est congru à 1 modulo p, il peut s'écrire sous la forme A = kp +1 (avec k entier), etc.

Or $\sum_{n=1}^{n=\infty} \frac{1}{n^2}$, somme des inverses des carrés des nombres premiers, se trouve être une série infinie convergente au sens du chapitre 3, et cette somme infinie vaut $\frac{\pi^2}{6}$; on a donc pour la probabilité recherchée $Q = \frac{6}{\pi^2} = 0{,}608$ environ…

CHAPITRE 11

Du pendule au gyroscope : voir tourner la Terre

Gyroscope, du grec *gyro-scopos,* « voir tourner », « observer la rotation »...

Foucault conçoit en 1850 l'expérience du pendule éponyme, mouvement mettant en évidence sur Terre la rotation de notre planète autour d'elle-même.

Il explique cela comme suit dans le *Journal des Débats*[1] du 31 mars 1851 :

« La notion du mouvement de rotation de la terre est aujourd'hui tellement répandue, elle a si victorieusement passé du domaine de la science pure dans celui des idées vulgaires, qu'il pourra sembler superflu de chercher à en donner une preuve nouvelle. Cependant, si l'on considère que les principaux arguments à l'appui de ce mouvement sont tirés de l'observation des phénomènes célestes, on accordera peut-être quelque attention au résultat d'une expérience qui permet de conclure à la rotation de la terre par l'inspection d'un phénomène produit à domicile et sans jeter un coup d'œil sur le ciel. »

De manière indépendante, Coriolis avait quelques années auparavant formalisé dans le repère lié à la Terre la force liée à sa rotation, dite « force de Coriolis ». Elle explique le mouvement *apparent*

1. Foucault tenait une rubrique de vulgarisation scientifique dans ce journal créé en 1789.

du pendule de Foucault dans notre repère : même Newton au siècle précédent, dans sa formalisation des équations de la dynamique, et notamment de la dynamique céleste, n'avait pas pensé à cette force !

Période de rotation du pendule de Foucault

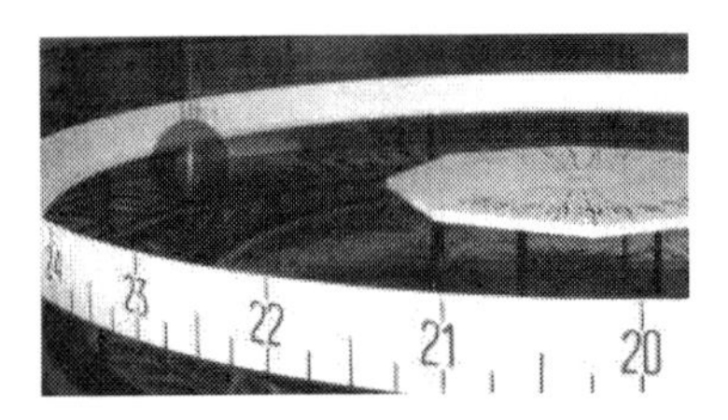

Figure 11.1 : Le pendule de Foucault de nouveau au Panthéon de manière permanente depuis 1995.

Le pendule de Foucault est la démonstration intrinsèque à la Terre de son mouvement de rotation autour d'elle-même. Le pendule est lancé dans un plan donné et son mouvement entretenu de manière mécanique : on pourrait s'attendre à ce qu'il continue à osciller dans le même plan. De fait, le pendule continue à osciller dans un même plan, mais c'est l'instrument de mesure, à savoir la table graduée située sous le pendule (voir figure 11.1) qui tourne, entraînée par le mouvement de rotation de la Terre.

• Le plus simple est de se représenter le pendule au pôle Nord : son point d'accroche reste fixe, en revanche la table de mesure en dessous fait un tour par jour dans le sens inverse des aiguilles d'une montre (rotation de l'axe de la Terre de l'ouest vers l'est vu d'un point situé au-dessus de la table au pôle Nord[1]). Le pendule lancé à

1. Habituons-nous à ces phénomènes de repères en rotation relative : la Terre voit le Soleil tourner d'est en ouest, le Soleil voit la terre tourner d'ouest en est ; le pendule au pôle Nord voit ainsi la table sous lui tourner dans le sens inverse des aiguilles d'une montre, l'observateur qui est lié à la table voit le plan d'oscillation du pendule tourner dans le sens des aiguilles d'une montre.

22 voit la table de mesure tourner sous lui, de 22 à 23, 24... L'observateur du dispositif voit le pendule aller de 22 à 23... c'est-à-dire dans le sens des aiguilles d'une montre, vers la droite.

• Si le pendule est au pôle Sud, l'observateur voit le pendule aller dans le sens inverse des aiguilles d'une montre, vers la gauche, ce qui revient à observer l'ensemble du dispositif dans un miroir.

• Si le pendule est à l'équateur, le plan d'oscillation initial et l'ensemble de la table de mesure sont solidaires dans une même rotation, le plan d'oscillation ne change pas : vous ne verrez pas de pendule de Foucault à Libreville ou à Quito !

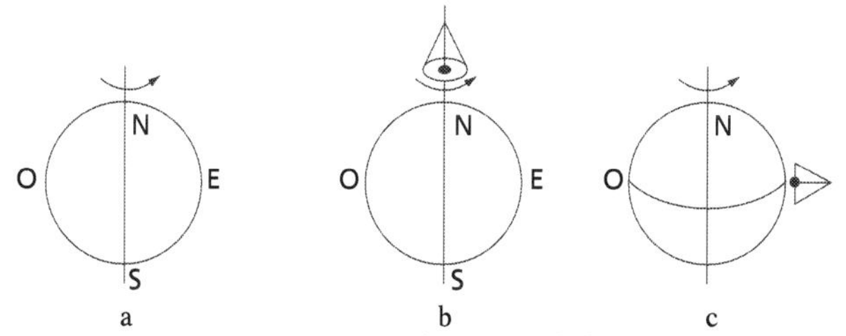

Figure 11.2 : a – Sens de rotation de la Terre.
b – Schématisation d'un pendule de Foucault au pôle Nord.
c – Schématisation d'un pendule de Foucault à l'équateur.

Le cas plus général, sous une latitude quelconque, correspond à la situation intermédiaire entre l'équateur (pas de rotation du pendule, sa période de rotation T est infinie) et le pôle (rotation maximale du pendule, sa période de rotation est égale à la période de rotation terrestre T = 1 jour) ; en vertu d'une continuité naturelle, il existe, à cette latitude quelconque, une période T de rotation du pendule comprise entre 1 jour et l'infini.

À la latitude β, le plan d'oscillation du pendule fait un tour complet en une période de temps $T = \frac{T_0}{\sin\beta}$, où T_0 est la durée du jour sidéral soit 23 heures 56 minutes.

Au pôle Nord, $\beta = 90°$, $T = T_0$; à l'équateur, $\beta = 0°$, $T = \infty$ (pas de rotation de l'axe du pendule) ; au Panthéon de Paris, $\beta = 48° 52'$, T = 31 h 57 mn.

Le résultat au pôle Nord est facile à se représenter dans l'espace car le point d'attache du pendule est fixe ; sous une latitude β quelconque, le résultat est plus difficile à se représenter car le point d'attache du pendule tourne avec la Terre.

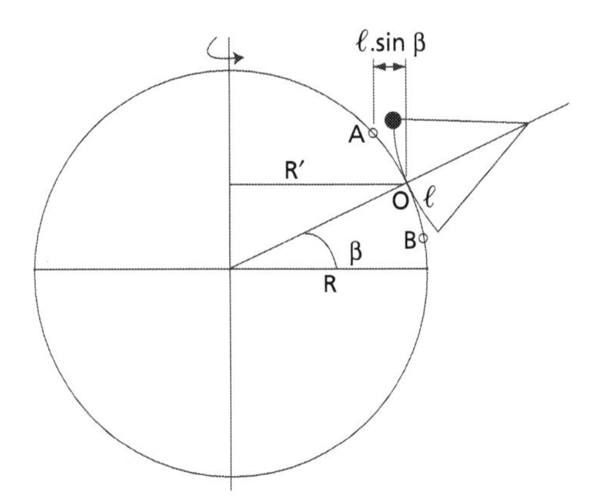

Figure 11.3 : Calcul de la période du pendule de Foucault à la latitude β.

- Donnons-en brièvement une esquisse de démonstration : le centre O de la table de mesure tourne à une vitesse $v_0 = \omega \times R' = \omega \times R \times \cos\beta$, où ω est la vitesse angulaire de la Terre (au pôle $\cos\beta = 0$, le centre de la table de mesure est fixe) et R son rayon.
- Le pendule est lancé vers le nord en direction du point A de la table de mesure, dans un plan qui reste fixe ; or A qui est plus au nord a une vitesse inférieure, égale à $v_A = \omega \times (R \cos\beta - l \sin\beta)$ (voir figure 11.3) : v_A est inférieure à v_0 d'une valeur $\omega \times l \times \sin\beta$, l étant la largeur de la table de mesure ; à chaque passage en « haut », vers le

nord et le point A, le pendule animé de la vitesse v_0 est en avance sur A (dans le sens des aiguilles d'une montre par rapport à A) .

• De même le point B symétrique de A sur la table de mesure a, lui, une vitesse supérieure à O de la même valeur, et il précède le pendule dans le sens de rotation de la Terre. La rotation du plan d'oscillation du pendule (par rapport à AB et à la table de mesure) a une vitesse angulaire apparente égale à $\omega \times \sin\beta$, donc une période

$$T = \frac{2\pi}{\text{vitesse angulaire}} = \frac{2\pi}{\omega \times \sin\beta} = \frac{T_0}{\sin\beta}.$$

L'image la plus synthétique de la rotation du pendule de Foucault est la suivante : on observe le phénomène à cause de la largeur de la table de mesure autour de laquelle le pendule oscille. Le point A situé au nord de la table de mesure a une vitesse angulaire due à la rotation de la Terre moins grande que le point B situé au sud de la table de mesure (sauf à l'équateur où $v_A = v_B$) ; c'est la rotation effective de la table de mesure dans un repère non terrestre qui conduit à une rotation *apparente* du pendule de Foucault dans le repère terrestre, et donc pour l'observateur terrestre.

Le pendule de Foucault, une approche de la relativité des mouvements de rotation

C'est le premier mérite de Foucault que d'avoir conceptualisé, deux mille ans après la première intuition humaine que la Terre tourne autour d'elle-même, la question « Comment montrer grâce à une expérience terrestre que notre planète tourne sur elle-même ? » et de lui avoir trouvé une solution.

L'expérience de Foucault démontre de manière incontestable que la Terre tourne autour d'elle-même. Maintenant l'homme va dans l'espace et nous sommes habitués à voir notre planète et sa rotation par des images satellite, en un mot nous savons nous extraire du repère lié à la rotation de la Terre ; mais en 1852, c'était une gageure que de conceptualiser cette question et d'y répondre !

Les trois expériences que nous présentons dans ce chapitre (le pendule de Foucault, la force de Coriolis et ses différents cas d'application, le gyroscope) introduisent la notion de relativité des mouvements de rotation.

À cet égard, on peut penser que, de la même manière que Galilée puis les astronomes du XVIIe siècle mesurant la vitesse finie de la lumière (Römer, Bradley, Michell, chapitre 13 et bibliographie [17]) ont ouvert la voie à la notion de relativité des mouvements de translation et à une meilleure compréhension du principe de relativité restreinte et du caractère absolu de la vitesse de la lumière, les expériences de Foucault et de Coriolis nous aident à la compréhension de la *relativité* d'un mouvement de rotation par rapport à un autre.

Figure 11.4 : L'expérience du pendule de Léon Foucault au Panthéon de Paris, en 1851. Ce pendule est réinstallé au Panthéon en 1995. © Photo Conservatoire national des arts et métiers – bibliothèque.

La force de Coriolis

La force de Coriolis, du nom de Gaspard-Gustave de Coriolis, physicien français (1792-1843), est justement la force qui permet de rendre compte de ce mouvement du pendule dans un repère lié à la Terre : une masse m en mouvement (à vitesse v) sur un corps en rotation (la Terre par exemple avec un vecteur vitesse angulaire ω) est soumise à la force : $\vec{F_C} = 2m(\vec{v} \wedge \vec{\omega})$ [1] (figure 11.5).

• Pour la représenter géométriquement, introduisons à chaque point M de la surface terrestre un repère local R à trois dimensions : Mx vers l'est (tangente au parallèle), My vers le nord (tangente au méridien), Mz vers le zénith (perpendiculaire au plan Mx – My tangent en M).

• $\vec{\omega}$ a pour coordonnées (0, ωcosα, ωsinα) où α est la latitude en M, comptée positivement dans l'hémisphère Nord, négativement dans l'hémisphère Sud ; au pôle Nord $\vec{\omega} = (0, 0, \omega)$ orienté vers le zénith ; à l'équateur $\vec{\omega} = (0, \omega, 0)$ orienté vers le nord ; au pôle Sud $\vec{\omega} = (0, 0, -\omega)$ orienté vers le pôle Nord, à l'opposé du zénith.

• Si l'on prend $\vec{v} = (0, v, 0)$, vitesse d'une masse (air, eau, pendule) en mouvement vers le nord, on fait le produit vectoriel $(\vec{v} \wedge \vec{\omega})$ et l'on obtient les coordonnées de la force de Coriolis dans le repère R : $\vec{F_C} = (2mv\omega\sin\alpha, 0, 0)$.

• Cette force est perpendiculaire à $\vec{v}$ et à $\vec{\omega}$, et dans le sens donné par la règle du « bonhomme d'Ampère » ou des « trois doigts » qui donne la direction du résultat d'un produit vectoriel en fonction des directions des deux vecteurs.

$\vec{F_C} = (2mv\omega\sin\alpha, 0, 0)$ est une force orientée vers l'est dans l'hémisphère Nord ($\alpha > 0$), vers l'ouest dans l'hémisphère Sud ($\alpha < 0$).

Il est important de comprendre que cette force est une force *fictive,* qui ne correspond pas à une réalité tangible à l'inverse des

1. Pour deux vecteurs $\vec{A}$ (a,b,c) et $\vec{D}$ (d,e,f) s'appliquant au point O, le produit vectoriel $\vec{A} \wedge \vec{D}$ est défini comme un vecteur s'appliquant au point O, dans la direction perpendiculaire au plan formé par O, $\vec{A}$, $\vec{D}$ et ayant pour coordonnées (b × f – e × c, c × d – a × f, a × e – b × d).

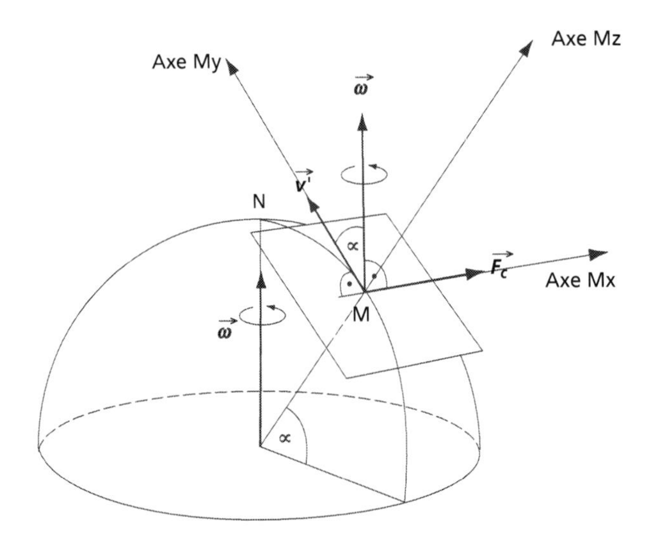

Figure 11.5 : Représentation de la force de Coriolis dirigée vers l'est.

autres forces que sont le poids, la gravitation[1], le frottement... ; c'est une force liée au repère terrestre, destinée à représenter l'effet réel qu'a *dans ce repère*, sur un corps en mouvement, la rotation de la Terre sur elle-même. Dans un autre repère, par exemple celui lié à l'étoile polaire, le mouvement du pendule est absolu, il n'y a pas de force de Coriolis ; la force de Coriolis n'existe pas dans la théorie de la relativité.

Elle est destinée à compenser l'effet de rotation de la Terre dans l'analyse du mouvement d'un corps sur la Terre, d'où une certaine difficulté à se la représenter.

1. Notons qu'en relativité générale, la force de gravitation n'a elle aussi plus de réalité, s'effaçant au profit de la courbure de l'espace-temps par les masses.

La force de Coriolis autour de nous : manèges, météorologie...

En dehors de la rotation du pendule de Foucault, les manifestations de la force de Coriolis sont nombreuses.

Dans les foires d'antan, les manèges de type « caisse sans plancher[1] » permettaient de ressentir deux effets liés à deux forces différentes :

• la force centrifuge qui retient plaqué sur la paroi quand le manège tourne et que le sol se retire ;

• on remet le sol, le manège continuant à tourner, par exemple dans le sens inverse des aiguilles d'une montre, si l'on vous demande de rejoindre le centre : vous êtes irrémédiablement attiré vers la droite (règle des « trois doigts »), non pas parce que vous avez la tête qui tourne, mais parce qu'une mini-force de Coriolis liée à la rotation du manège s'applique sur l'objet en mouvement que vous êtes quand vous tentez de rejoindre le centre ! Il s'agit bien de l'effet Coriolis lié à la rotation du manège et non l'effet Coriolis lié à la rotation terrestre.

En ce qui concerne les masses d'eau, la force de Coriolis provoque l'érosion plus rapide d'un côté du lit d'une rivière que de l'autre. En revanche, il convient de tordre le cou à une rumeur tenace suivant laquelle la force de Coriolis ferait couler l'eau d'un lavabo dans un sens dans l'hémisphère Nord et dans l'autre sens dans l'hémisphère Sud : et à l'équateur, elle reste dans le lavabo ? Il faudrait vider un bassin de plusieurs dizaines de kilomètres de diamètre pour commencer à observer un tel effet...

La force de Coriolis terrestre, qui joue un rôle dans la déviation des masses d'air dans l'atmosphère, est très importante en météorologie. Les masses d'air sont soumises à de très nombreuses forces et

1. Ces manèges semblent ne plus exister, peut-être à cause du « principe de précaution » ; ils avaient en tout cas un rôle éducatif puisqu'ils nous faisaient découvrir deux notions importantes de physique, la force centrifuge et la force de Coriolis !

la météorologie est d'ailleurs une des grandes applications de la simulation numérique ; en ce qui concerne la force de Coriolis, on vérifie par la formule $\vec{F_C} = 2m(\vec{v} \wedge \vec{\omega})$ qu'elle fait tourner vers l'ouest une masse d'air *s'éloignant* de l'axe de rotation terrestre, et vers l'est une masse d'air *se rapprochant* de l'axe de rotation terrestre ; ou, ce qui est équivalent, qu'elle dévie dans l'hémisphère Nord une masse d'air vers sa droite, et dans l'hémisphère Sud une masse d'air vers sa gauche.

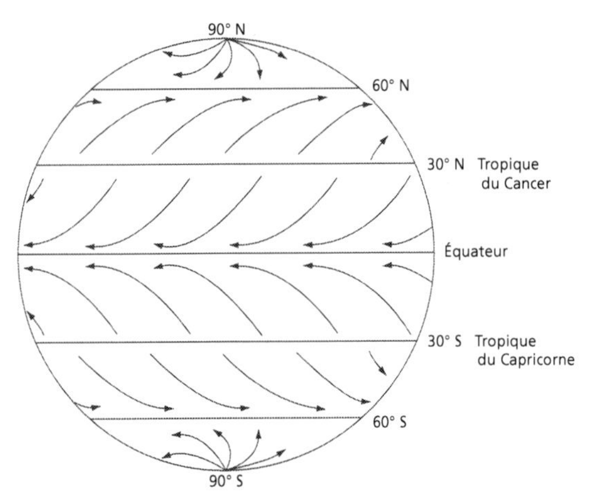

Figure 11.6 : Schéma de vents dominants tels qu'observés sur Terre : les alizés sont des vents allant des tropiques (30° latitude N ou S) vers l'équateur. On voit, entre le tropique Nord et l'équateur la déviation vers leur droite des alizés descendants ; et entre le tropique Sud et l'équateur, la déviation vers leur gauche des alizés montants.

La force de Coriolis est aussi la cause des cyclones, notamment dans ces régions équatoriales de vents importants. L'image ci-dessous montre comment, au voisinage d'une basse pression dans l'hémisphère Nord, le vent, attiré par la basse pression (flèches noires), est dévié sur sa droite par la force de Coriolis (flèches grises) ; le vent n'arrive pas directement au centre de la dépression pour la combler, mais forme un tourbillon (un cyclone) dû à cette déviation de Coriolis. Dans l'hémisphère Nord, les cyclones se forment dans le sens contraire des aiguilles d'une montre (figure 11.7) ; dans l'hémisphère Sud, les vents étant déviés vers leur gauche, ils se forment dans le sens des aiguilles d'une montre. Un cyclone traverse très rarement l'équateur à cause de l'inexistence de la force de Coriolis à l'équateur.

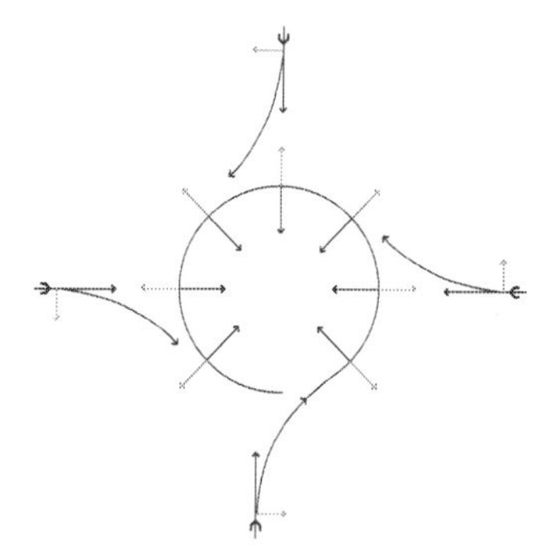

Figure 11.7 : Formation (dans le sens inverse des aiguilles d'une montre dans l'hémisphère Nord) d'un cyclone autour d'une dépression.
Les flèches noires indiquent la force d'attraction des vents, toujours vers le centre de la dépression ;
les flèches grises indiquent la déviation de Coriolis, toujours orientées vers la droite de la trajectoire.

Figure 11.8 : (À gauche) Cyclone dans l'hémisphère Sud (sens des aiguilles d'une montre) : cyclone Clare, 10 janvier 2006, Pilbara Coast à l'ouest de l'Australie.
(À droite) Cyclone dans l'hémisphère Nord (sens inverse des aiguilles d'une montre) : cyclone Katrina, 27 août 2005, Golfe du Texas.
(Images NASA.)

Le gyroscope et la conservation de l'axe de rotation

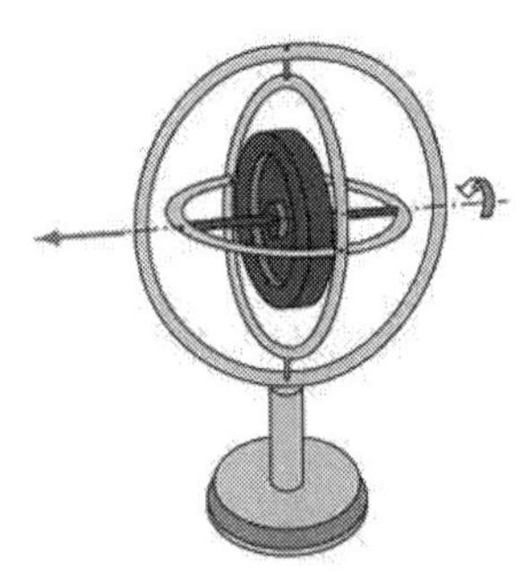

Figure 11.9 : Représentation schématique d'un gyroscope ; c'est la masselotte en gris foncé qui joue le rôle de « cap » fixe, son axe de rotation reste fixe par rapport à un repère stellaire.

C'est encore Foucault qui présenta en 1852 cet appareil de son invention. Le gyroscope démontre la conservation d'un axe de rotation fixe : une fois la masselotte tournante (en gris foncé) introduite dans l'armature de l'appareil, le gyroscope tend à résister à tout changement d'orientation.

Il résiste notamment à l'effet que lui communique la rotation de la Terre, ainsi qu'à tout autre effet que sa propre rotation, comme par exemple tout mouvement de la fusée ou du bateau dans lequel le gyroscope est embarqué.

L'axe de rotation initial de la masselotte interne reste inchangé, il pointe toujours dans la même direction ; même si, sur un temps assez long, l'axe donne l'impression d'avoir changé, c'est nous qui avons tourné autour de lui, comme nous le faisons autour du pendule de Foucault !

Comme l'axe d'oscillation du pendule de Foucault, l'axe de rotation du gyroscope reste fixe non pas dans le repère terrestre, mais dans un repère lié aux étoiles.

Contrairement au pendule qui est fort intéressant en théorie mais quasi inutile en pratique, le gyroscope a, lui, depuis son invention, d'immenses applications pratiques, puisqu'il fixe une direction dans l'espace : des modèles électroniques très perfectionnés de gyroscopes, les gyrolasers, sont utilisés comme boussoles dans les fusées spatiales, mais aussi dans les avions et certains bateaux !

CHAPITRE 12

Le son, une onde aux bonnes vibrations

Le son est une onde qui se déplace à une certaine vitesse dans l'air (340 m/s[1]), avec une certaine fréquence (grave, aiguë, audible ou non par l'oreille humaine) et une certaine amplitude (le volume sonore). Comme pour les fréquences lumineuses, l'homme ne perçoit pas toutes les fréquences sonores mais seulement un domaine restreint qui s'étale de 15 Hz (grave) à 15 000 Hz (aigu).

Fréquences des sons musicaux

On retrouve ici Pythagore qui, écoutant le bruit d'une forge à Samos, comprend que la hauteur des sons est directement liée à la taille des objets utilisés. Citons à cet égard Diderot dans l'article *Pythagorisme* de son *Encyclopédie* :

« L'octave, la quinte et la quarte sont les bases de l'arithmétique harmonique. La manière dont Pythagore découvrit les rapports

1. La vitesse du son dans l'eau est quatre fois plus importante ; par ailleurs le son ne se propage pas dans le vide.

en nombres de ces intervalles en sons marque que ce fut un homme de génie...[1] »

C'est la théorie des cordes vibrantes qui formalise au XVIIe siècle l'intuition de Pythagore, et qui est à la base de l'étude physique des sons musicaux et de l'acoustique. Taylor Brook développe en 1715 les travaux du moine arithméticien Mersenne (voir chapitre 5 et les nombres de Mersenne) et met en évidence la formule selon laquelle la fréquence d'un son est inversement proportionnelle à la longueur de la corde (plus la corde est longue, plus la fréquence est faible et plus le son est grave, comme vous pouvez le vérifier à l'intérieur d'un piano à queue).

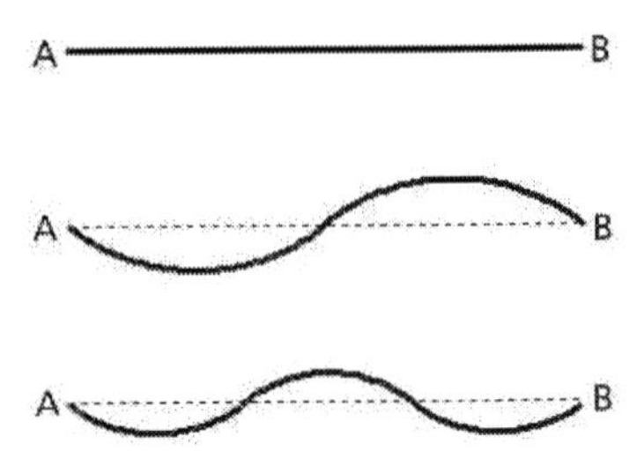

Figure 12.1 : En haut une corde vibrant à la fréquence f ; au milieu la même corde pincée en un point, vibrant à la fréquence 2f (octave au-dessus) ; en bas la même corde pincée en deux points, vibrant à la fréquence 3f (dominante au-dessus de l'octave)

Détaillons brièvement quelques principes de l'« arithmétique harmonique » chère à Diderot et voyons comment la science des nombres entiers et rationnels intervient dans une notion physique, la fréquence de vibration des sons.

1. Cité par J.-L. Basdevant en introduction de [39], livre qui décrit l'unité des outils mathématiques et physiques communs à de nombreuses branches, mécanique, probabilités, calcul différentiel, physique quantique, relativité...

Les fréquences des sons musicaux se comparent entre elles sous forme de division et non sous forme de différence. Une octave au-dessus (respectivement au-dessous) se mesure par un doublement (respectivement une division par deux) de la fréquence. Ainsi La_3 = 440 Hz, La_2 = 220 Hz[1].

Un son musical comprend principalement la fréquence fondamentale et des fréquences plus élevées qui sont ses « harmoniques », c'est-à-dire ses multiples *entiers* (on retrouve l'arithmétique dans l'acoustique).

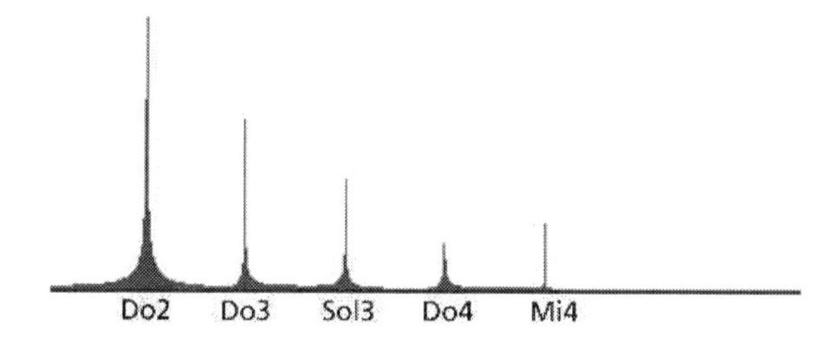

Figure 12.2 : Fondamentale de la note de Do_2 (132 Hz) et harmoniques.
Le premier pic est la fondamentale à 132 Hz.
Le second pic est l'octave Do_3 à 264 Hz = 2 × 132 Hz.
Le troisième pic est à 3 × 132 = 396 Hz = $\frac{3}{2}$ × 264 = quinte de Do_3 = Sol_3.
Le quatrième pic est Do_4 (528 Hz) ; le cinquième pic est 5 × 132 = 660 Hz = $\frac{5}{4}$ × Do_4 soit Mi_4 (médiante de la gamme de Do, intervalle de tierce majeure).

Les notes les plus simples par rapport à une note donnée, par exemple celles qui forment l'accord parfait de Do_3, se construisent avec des rapports *rationnels* simples : la tierce majeure au-dessus de Do_3 (appelée « médiante ») s'obtient en appliquant le rapport ration-

1. Concernant ces notations traditionnelles en musique, rappelons que le diapason le plus couramment utilisé (cela n'a pas toujours été le cas au cours des siècles, et encore maintenant les instrumentistes baroques utilisent un diapason plus bas) est La_3 = 440 Hz.

nel $\frac{5}{4}$ à la fréquence de Do_3, soit $\frac{5}{4} \times 264$ Hz = 330 Hz, soit Mi_3 ; la quinte au-dessus de Do_3 (appelée « dominante ») s'obtient en appliquant le rapport rationnel $\frac{3}{2}$ à la fréquence de Do_3, soit $\frac{3}{2} \times 264$ Hz = 396 Hz, soit Sol_3 ; enfin on a vu que le rapport 2 donne l'octave supérieure soit $Do_4 = 2 \times 264$ Hz = 528 Hz.

• Quand deux notes ont des harmoniques communes, leur accord « sonne bien » ; il en va ainsi de l'accord de Do majeur = Do-Mi-Sol-Do, avec la médiante Mi et la dominante Sol : en effet, on a vu que Sol et Mi sont des harmoniques de Do (même si elles le sont à des octaves différentes).

En parcourant 12 quintes à partir de Do_1, on arrive à Si $Dièse_7$, on aura parcouru toute la largeur du piano soit 7 octaves ; or cette note d'arrivée ne correspond pas à l'octave de Do, et le calcul nous le montre :

• On parcourt 12 quintes de Do_1 à Si $Dièse_7$; comme chaque quinte implique un rapport de fréquences de $\frac{3}{2}$, on a $\frac{\text{Si Dièse}_7}{Do_1} = \left(\frac{3}{2}\right)^{12} = 129{,}746$, rapport de fréquences entre ces deux notes.

• Or l'écart de Do_1 à Do_8, composé de sept octaves, a le rapport de fréquences suivant $\frac{Do_8}{Do_1} = 2^7 = 128$.

Cette différence de 1,3 % entre les valeurs 128 et 129,746 s'appelle « le coma pythagoricien ». La résolution de cette différence, visant à modifier légèrement les quintes pour respecter le chiffre de 128 qui s'impose à l'oreille, s'appelle « tempérer le piano », d'où l'expression de « clavier bien tempéré » appliqué au piano où Si Dièse = Do. Dans certains instruments non tempérés, Si Dièse reste différent de Do, en conformité avec le calcul ci-dessus.

Pourquoi l'avion supersonique fait-il bang ?

La perception sonore d'un avion supersonique, avec son fameux « bang », est un phénomène intéressant à étudier, car c'est un sujet de *relativité* de vitesses (vitesse de l'avion par rapport à la vitesse du son), et de franchissement d'une valeur spécifique non limite (la vitesse du son, qui peut être dépassée à la différence de la vitesse de la lumière). Analysons un certain nombre de situations liées à ce mouvement.

• Avion immobile : lorsque l'avion est sur la piste, immobile moteur allumé, il produit un front d'ondes qu'on peut représenter par des cercles concentriques (de rayons successifs wT, 2wT... T étant la période du son de l'avion) se déplaçant à la vitesse du son w = 340 m/s.

• Avion à vitesse subsonique (figure 12.3) : dans le repère $\mathcal{R}'$ lié à l'avion (en translation à vitesse v par rapport à $\mathcal{R}$ supposé absolu), pendant le temps T l'avion a parcouru vT. Les cercles d'ondes marquent l'axe des abscisses en avant de l'avion à (w – v)T, 2(w – v)T... et en arrière de l'avion à – (w + v)T, – 2(w + v)T... ; ce sont toujours des cercles de rayons successifs wT, 2wT..., mais qui ne sont plus concentriques dans ce repère R′ en mouvement.

Figure 12.3 : En avant de l'avion le front d'ondes se resserre, l'espace entre chacun des cercles n'est plus wT mais (w – v)T ; en arrière de l'avion le front d'ondes s'espace, la distance entre chacun des cercles n'est plus wT mais (w + v)T.

• Avion à vitesse du son (w = v, figure 12.4) : l'avion se déplace en même temps que l'onde qu'il produit. Les vibrations de l'air s'accumulent sur le nez de l'avion. Il franchit le « mur du son ».

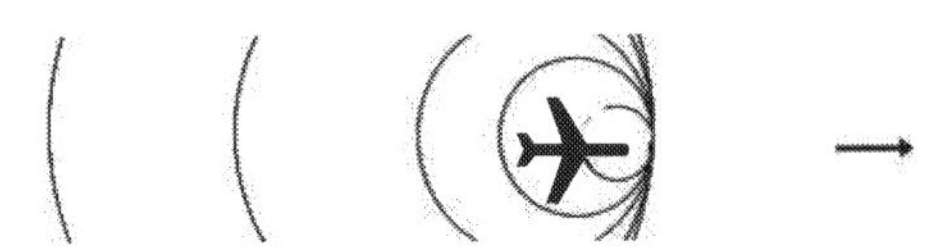

Figure 12.4 : En avant c'est un « front d'ondes » qui se forme au moment où la vitesse de l'avion arrive à la valeur w.

• Avion à vitesse supersonique (v > w, figure 12.5) : l'avion se déplace plus vite que le front d'ondes, qui se matérialise derrière lui par un « cône de son » d'angle θ tel que $tg\left(\frac{\theta}{2}\right) = \frac{w}{v}$.

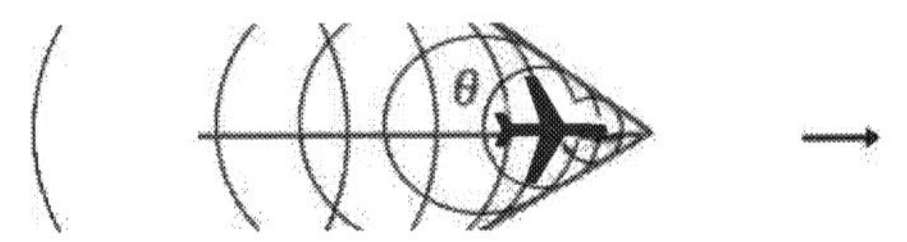

Figure 12.5 : Avion à vitesse supersonique.

La surpression due à la superposition de plusieurs ondes acoustiques au même endroit provoque une onde de choc, se traduisant par l'anomalie sonore du « bang » supersonique. À la différence de la vitesse subsonique, on entend le « bang » une fois l'avion passé au-dessus de nos têtes, puisque l'avion va plus vite que le son qu'il crée.

De la même manière, le claquement d'un fouet violemment manié correspond au « bang » de son extrémité quand celle-ci dépasse la vitesse du son.

L'effet Doppler pour les ondes sonores et lumineuses

Doppler met en évidence en 1842 pour les ondes sonores l'effet, qui porte son nom, relatif à toute source d'ondes en mouvement.

Prenons une source sonore de période T s'avançant vers nous à la vitesse v, par exemple une ambulance.

• Si v = 0, l'onde arrive sur nous avec la vitesse du son w, nous percevons les pics d'onde sonore à T, 2T, 3T...

• Si v ≠ 0, la source émet toutes les T secondes en même temps qu'elle avance vers nous ; le bip émis par la source au temps T met un temps inférieur à nous parvenir que le bip émis au temps 0, car entre 0 et T la source sonore s'est rapprochée d'une distance vT. $T' = T - \frac{vT}{w}$. La fréquence du son est plus grande $f' = \frac{f}{1 - \frac{v}{w}}$ *(1)*

Quand la source s'éloigne de nous, $f' = \frac{f}{1 + \frac{v}{w}}$ *(2)*

Quand une source sonore se rapproche de nous, la fréquence est plus élevée, le son paraît plus aigu ; quand elle s'éloigne, la fréquence est plus faible, le son paraît plus grave. Une des applications de cet effet est la mesure de la vitesse d'un véhicule par radar à ultrasons.

Par ailleurs, l'effet Doppler est valable pour tout type d'ondes, donc aussi pour les ondes lumineuses ; il a été fondamental en astronomie dès sa mise en évidence, car il a permis de mesurer la vitesse à laquelle se rapproche ou s'éloigne de nous une étoile.

Appliqué au spectre lumineux complet d'une étoile, il n'a guère d'intérêt, puisque l'ensemble du spectre est décalé par effet Doppler : pour une étoile qui s'éloigne (décalage vers des fréquences lumineuses plus faibles en application de la formule *(2)* ci-dessus), l'ultraviolet non visible vient remplacer du bleu visible, le rouge visible est décalé vers l'infrarouge non visible. C'est l'ensemble du spectre qui se décale : il n'y a pas de différence perceptible entre le spectre solaire et le spectre de l'étoile (c'est en général au spectre de la lumière solaire qui est le mieux connu qu'on compare le spectre lumineux d'une autre étoile).

En revanche, appliqué aux « raies spectrales » de la lumière, l'effet Doppler prend tout son intérêt. C'est Fraunhofer qui à Munich, en 1814, met en évidence, grâce à la décomposition de la lumière à travers un prisme, les raies spectrales individuelles correspondant à l'absorption d'énergie lumineuse par les corps chimiques composant l'étoile dont est issu le rayon (par exemple Magnésium, Fer, Sodium...). En effet, quand un rayon lumineux sort d'une étoile chaude vers son atmosphère froide, il y a échange d'énergie avec les corps constitutifs de l'étoile qui absorbent de l'énergie lumineuse à des fréquences données : ces fréquences manquent alors dans le spectre lumineux de l'étoile quand nous l'analysons, une raie noire apparaît dans le spectre lumineux, la raie du magnésium, celle du sodium... Ces raies sont caractéristiques de l'élément chimique considéré et indépendantes de la source lumineuse[1].

Ces raies étant fines et dans le spectre visible, on peut cette fois-ci mesurer, pour le spectre lumineux d'une étoile en mouvement relatif par rapport à la Terre, leur déplacement dû à l'effet Doppler par rapport au spectre de la lumière solaire.

Signalons qu'en cas de vitesse v d'une source lumineuse (par exemple une étoile) non négligeable par rapport à la vitesse c de la lumière, cas fréquent en astronomie, c'est le calcul relativiste qui s'applique pour l'effet Doppler :

• La formule *(1)* ci-dessus est remplacée par la formule de l'effet Doppler relativiste :

$$f' = f \times \sqrt{\frac{1+\beta}{1-\beta}}\text{, avec } \beta = \frac{v}{c}.$$

1. Comme souvent, les phénomènes sont observés avant d'être expliqués ; ce phénomène des raies spectrales trouvera son interprétation complète avec la mécanique quantique (modèle de l'atome de Bohr, expérience de Franck et Hertz, 1913).

• Quand v est petit devant c, $v \ll c$, on prend les éléments d'ordre 1 du développement en série[1], et on retrouve la formule non relativiste :

$$f' = f \times (1 + \beta).$$

1. Les physiciens du XIXe siècle allaient chercher des effets en β (premier ordre), puis en β^2 (second ordre), dans leurs expériences de mesure de vitesse de la lumière sur Terre ; Einstein allait les mettre tous d'accord avec la relativité restreinte en 1905, en reliant leur problématique aux formules de Lorentz, dont ces termes en β et en β^2 se trouvent être les premiers termes du développement en série !

CHAPITRE 13

Vitesse et nature de la lumière : 250 ans de Römer (1676) à de Broglie (1926)

Le caractère fini de la vitesse de la lumière : l'éclipse des satellites de Jupiter vue par Römer (1676)

Les Anciens pensaient que la vitesse de la lumière était infinie, et rien n'était susceptible de les détromper. Galilée le premier, en 1632, émet l'idée que cette vitesse pourrait être finie. Salviati, cité en [17], utilise l'analogie de l'éclair pour supposer que la vitesse de la lumière n'est pas instantanée : « Car si l'illumination était instantanée et non progressive, je ne crois pas qu'on pourrait distinguer son origine[1]. »

Avec l'amélioration des moyens d'observation céleste, l'astronome danois Ole Römer arrive à le prouver en 1676 en observant à l'Observatoire de Paris les éclipses des satellites de Jupiter ; il calcule la vitesse de la lumière et trouve 214 000 km/s, ce qui est quand même une approximation correcte à 70 % pour une première mesure de cette vitesse !

---

1. En ce qui concerne l'orage, on connaît bien la façon de mesurer la distance qui nous sépare de lui en multipliant la vitesse de propagation du son dans l'air (340 m/s, chapitre 12) par le nombre de secondes séparant l'éclair du tonnerre.

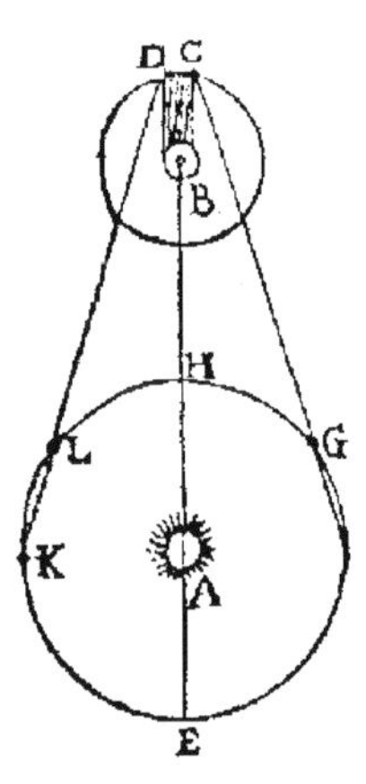

Figure 13.1 : Dessin de Römer dans le *Journal des savants de l'Académie des sciences*, décembre 1676.
(Cliché Bibliothèque nationale de France.)

• Sur la figure 13.2a, la Terre s'éloigne de Jupiter : la première émersion d'éclipse (point S, ou sortie d'éclipse) du satellite est perçue en position Terre 1 ; la sortie d'éclipse suivante est perçue 42 heures plus tard, alors que la Terre a tourné et se trouve en Terre 2, plus loin de Jupiter ; de même pour la sortie d'éclipse suivante, en Terre 3 (non représentée sur la figure) : chaque fois, l'intervalle entre les émersions augmente.

• Sur la figure 13.2b, la Terre se rapproche de Jupiter : la première immersion en éclipse (point E, ou entrée en éclipse) du satellite est perçue en position Terre 1′ ; l'entrée en éclipse suivante est perçue 42 heures plus tard, alors que la Terre a tourné et se trouve en Terre 2′, plus près de Jupiter ; de même pour l'entrée en éclipse suivante, en Terre 3′ (non représentée sur la figure) : chaque fois, l'intervalle entre les immersions diminue.

• Dans les deux cas, cela signifie que l'information met un temps différent à nous parvenir : temps de plus en plus long en position 13.2a et temps de plus en plus court en position 13.2b.

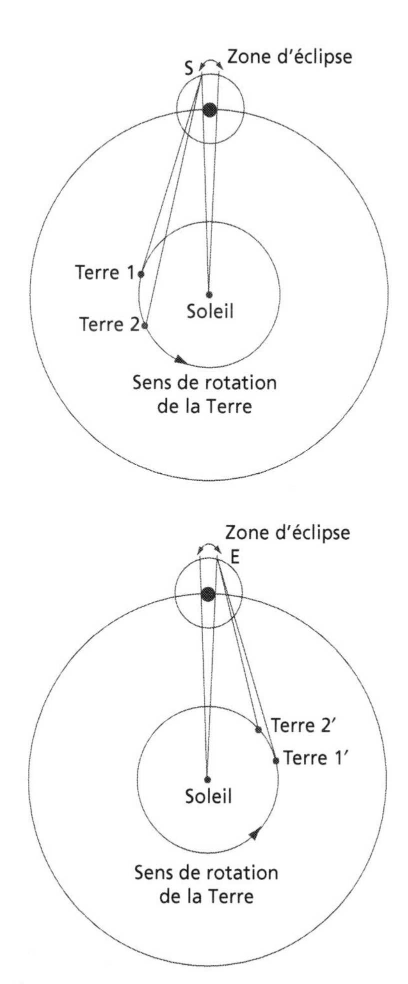

Figure 13.2 : Éclipse des satellites de Jupiter, la Terre s'éloignant de Jupiter (13.2a, en haut), et la Terre se rapprochant de Jupiter (13.2b, en bas). La période de révolution du satellite autour de Jupiter est très courte (42 h 30), ce qui donne la possibilité d'observer des séries d'éclipses.

En septembre 1676, Römer indique à l'Académie des sciences de Paris que l'éclipse suivante du satellite de Jupiter, attendue le 9 novembre, aura lieu avec 9 minutes de retard par rapport aux observations classiques, ce qui se vérifie.

Confirmation de l'héliocentrisme et mesure plus précise de la vitesse de la lumière : l'aberration des étoiles vue par Bradley (1728)

Un demi-siècle après Römer, l'astronome anglais James Bradley observe plusieurs étoiles pendant un an. Il met en évidence, en 1728, le phénomène d'aberration[1] des étoiles en faisant trois observations importantes :

- une étoile observée au télescope n'occupe pas sur la voûte céleste exactement la même position pendant toute l'année, sa trajectoire décrit en un an un petit cercle ou une ellipse ;
- le demi-grand axe de cette ellipse ou rayon de ce cercle est le même quel que soit l'étoile, et vaut 20,5″ d'arc ;
- le plan de l'ellipse ou du cercle est parallèle au plan de l'écliptique terrestre (c'est-à-dire le plan de rotation de la Terre autour du Soleil).

Il s'agit d'une illusion d'optique non liée à l'étoile : cette ellipse est en fait la projection sur la voûte céleste du mouvement de la Terre[2] autour du Soleil ; les données de l'ellipse (plan, taille, trajectoire décrite sur un an) ne dépendent que de la Terre, elles traduisent l'angle dit « d'aberration » Ψ tel que $\mathrm{tg}\Psi = \frac{v}{c}$, où v est la vitesse de la Terre autour du Soleil et c la vitesse de la lumière.

1. À l'inverse des noms du langage courant rencontrés en mathématiques (chapitres 1 à 5), c'est ici la physique qui a donné au langage courant le terme d'aberration : chronologiquement, c'est d'abord l'aberration d'un astre, c'est-à-dire une illusion d'optique, avant d'être une extravagance.
2. De même on peut considérer que le mouvement apparent du Soleil dans le ciel n'est qu'une projection du mouvement de la Terre autour du Soleil !

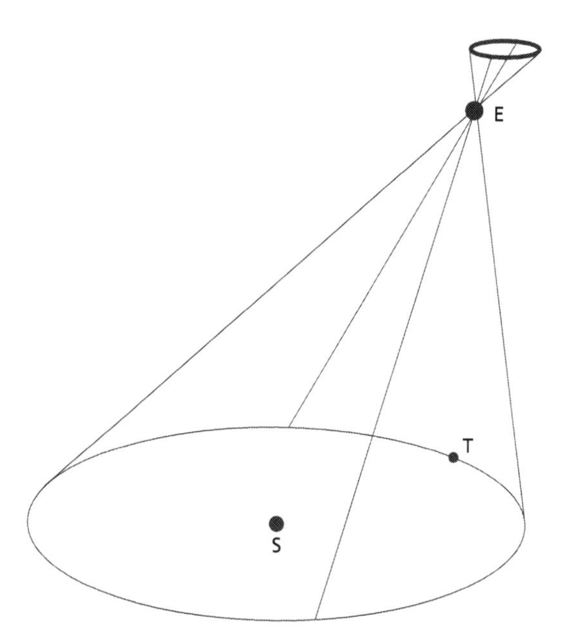

Figure 13.3 : Observation d'une étoile E au télescope sur une année. Le relevé de mesures, assimilable à une trajectoire apparente de E est une ellipse décrite en un an sur la voûte céleste, alors que ce devrait être un point fixe.

La Terre tournant autour du Soleil à la vitesse de 30 km/s on a $\Psi = 20{,}5''$, ce qui correspond à la valeur angulaire mesurée par Bradley du demi-axe de l'ellipse, et ce quelle que soit l'étoile observée.

Le fait que la mesure de cette aberration est constante pour toutes les étoiles montre qu'il s'agit d'une grandeur naturelle intrinsèque liée à c et à v. C'est une preuve expérimentale du fait que la Terre tourne autour du Soleil (héliocentrisme à vitesse v) et que la lumière a une certaine vitesse c qui n'est pas infinie.

La conception du phénomène d'aberration n'est pas aisée ; plusieurs images peuvent être utilisées en utilisant la composition des vecteurs-vitesse $\vec{v}$ (vitesse de la Terre autour du Soleil) et $\vec{c}$ (vitesse de la lumière entre l'étoile et la Terre) :

• Un rayon lumineux EA venant d'une étoile E est vu comme ayant la direction composée EA′ dans le repère terrestre (figure 13.4).

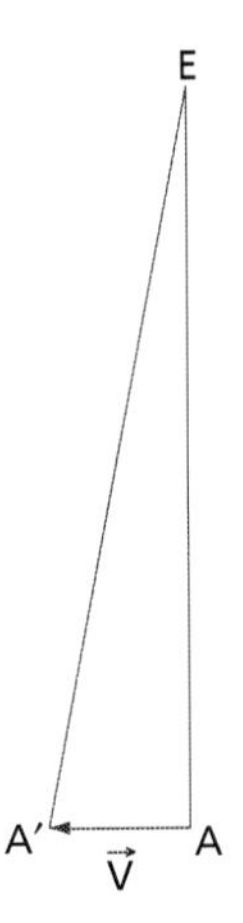

Figure 13.4 : L'étoile E, par exemple l'étoile polaire au zénith effectif du point A sur Terre, est observée en A′ : AA′ est le déplacement de la Terre sur son orbite pendant le temps mis par le signal lumineux de E pour être perçu sur Terre. Ce signal lumineux apparaît donc comme venant non pas du zénith, mais d'une direction légèrement décalée d'un angle Ψ.

• Citons l'analogie du chasseur de Maupertuis : il doit viser en avant de l'oiseau, suivant un angle qui prend en compte et la vitesse du volatile (comparable à la vitesse v) et la vitesse de sa balle (comparable à la vitesse c).

• On peut aussi utiliser l'image de l'aberration de la pluie : si vous êtes immobile sous votre parapluie, la pluie tombe verticalement et ne vous mouille pas ; si vous courez à la vitesse v, alors vous recevez toutes les gouttes suivant une direction Ψ telle que $\mathrm{tg}\Psi = \frac{V}{V_p}$, où V_p est la vitesse de chute de la pluie (figure 13.5).

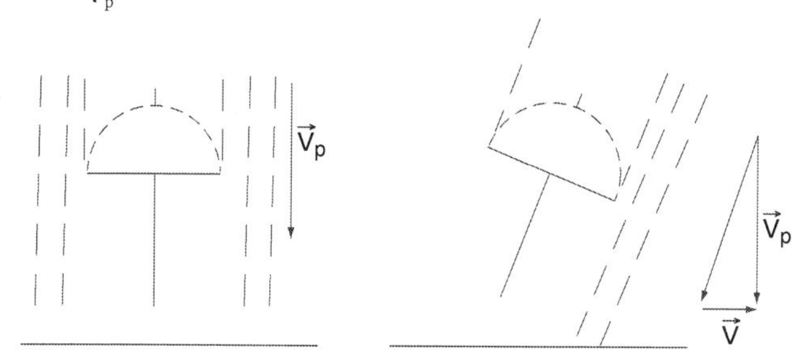

Figure 13.5 : Aberration de la pluie (image du parapluie pour un piéton, ou du pare-brise pour un automobiliste).

• Enfin l'analogie de Bradley, qui lui a donné l'idée de sa découverte de l'aberration un jour de nautisme sur la Tamise, est celle du fanion d'un bateau : il n'est ni dans la direction du vent ni dans celle du bateau, mais dans la composée vectorielle des deux.

Le phénomène d'aberration permet d'appréhender, comme le pendule de Foucault, la relativité des repères dans les mouvements de rotation. L'étoile semble tourner dans le ciel, alors qu'en fait c'est nous qui tournons par rapport à elle ; comme le pendule semble tourner autour de la table de mesure, alors que c'est nous et la table qui tournons.

Nature de la lumière au XVIIIe siècle : un faisceau de particules ?

À la suite de ces précurseurs Römer et Bradley, qui s'étaient intéressés au caractère fini de la vitesse de la lumière, deux courants distincts allaient s'opposer tout au long du XVIIIe siècle sur la nature de la lumière : les tenants d'un caractère ondulatoire et les tenants d'un caractère corpusculaire. Les premiers invoquaient les fréquences lumineuses, les seconds l'absence d'un milieu de propagation des vibrations de l'onde lumineuse. Aucun résultat d'expérience ne venait les départager !

Dans le sillage de Newton[1], tenant de la théorie corpusculaire puisqu'il avait conçu les équations de la dynamique, l'École anglaise d'astronomie formula des hypothèses audacieuses à l'appui de la théorie corpusculaire.

- Michell va même jusqu'à définir en 1783 les « corps obscurs », ancêtres des trous noirs : la densité d'un astre peut être suffisamment forte pour empêcher par gravité tout corpuscule lumineux de s'en éloigner : l'astre très dense n'émet pas de lumière (voir chapitre 16).
- L'Anglais Cavendish en 1784 et l'Allemand Soldner en 1801 font le calcul de la déviation d'un rayon lumineux passant à proximité de la surface du Soleil, en appliquant les équations de la dynamique newtonienne à un corpuscule lumineux. Il n'y avait toutefois à l'époque aucun moyen d'observation astronomique capable de le mesurer[2] !

La théorie corpusculaire se heurtait toutefois à une contradiction expérimentale de taille : elle impliquait que la lumière fût non seulement déviée mais aussi ralentie par un champ de gravitation (comme le serait un faisceau de corpuscules), alors que toutes les mesures donnaient une constance de la vitesse de la lumière, indépendante de la vitesse de la source, et indépendante de toute masse gravitationnelle à côté de laquelle elle passerait !

Nature de la lumière au XIXe siècle : une onde !

Au tout début du XIXe siècle, la théorie corpusculaire est infirmée par l'incroyable expérience d'un médecin anglais, Thomas Young, qui allait rallier l'ensemble des physiciens à la théorie ondulatoire.

---

1. Newton ouvre la voie corpusculaire en 1704 dans son opuscule *Optics*, cité dans bibliographie [17] : « Les corps n'agissent-ils pas à certaine distance sur la lumière ? Et par leur action ne plient-ils pas ses rayons ? Et cette action n'est-elle pas plus forte à mesure que la distance est moindre ? »
2. De la même manière certaines prédictions de la relativité générale durent attendre cinquante ans et les moyens d'observation adaptés pour être vérifiées !

Young émet de la lumière à partir d'une source ponctuelle en direction de deux fentes, et observe le résultat sur une plaque située de l'autre côté. En théorie purement corpusculaire, on s'attend à voir deux pics de lumière situés sur la droite reliant la source aux fentes (deux rais de lumière). Or on observe une « figure d'interférences », avec un pic principal au milieu des deux fentes !

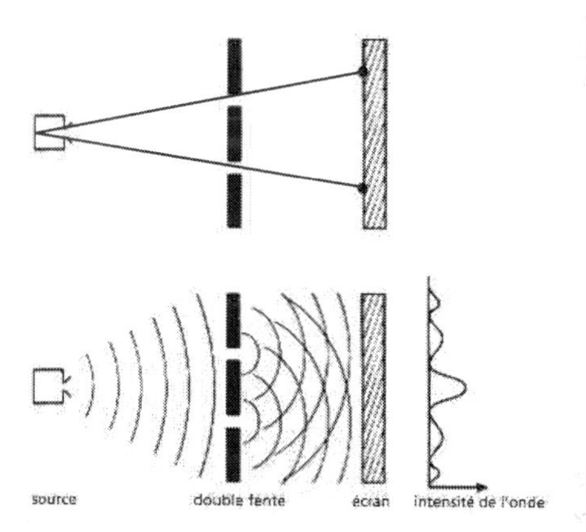

Figure 13.6 : Expérience des fentes de Young.
13.6.a : ce qu'on attendait en théorie corpusculaire.
13.6.b : ce qui est observé, des franges d'interférence séparées de $\frac{\lambda D}{d}$,
où λ est la longueur d'onde de la lumière incidente,
d la distance entre les fentes, D la distance entre fentes et écran.

• L'École française de physique, Arago, Fizeau et surtout Fresnel[1], formalise rapidement les résultats de cette expérience, conçoit la théorie ondulatoire de la lumière, notamment en introduisant l'éther, milieu de propagation des vibrations lumineuses, censées comme le son ne pas pouvoir se propager dans le vide.

1. De 1800 à 1840 c'est un âge d'or de la science française, promue par la Révolution puis l'Empire, et issue des grandes écoles nouvellement créées (École polytechnique, École des Ponts et Chaussées...).

• La seconde moitié du XIXe siècle traduit un certain immobilisme dans l'analyse de la nature de la lumière : la théorie de l'éther était construite pour embrasser des phénomènes contradictoires et ne pouvait pas être vérifiée. L'éther « anesthésiait » la créativité des astronomes et physiciens.

En 1865, le génial physicien écossais James Maxwell construit une « théorie unifiée[1] » de l'électricité et du magnétisme : ce sont les quatre équations de l'électromagnétisme. Ces équations font intervenir pour la première fois la vitesse de la lumière c, sous la forme $c = \frac{1}{\sqrt{\varepsilon_0 \mu_0}}$ (ε_0 étant la permittivité diélectrique du vide et μ_0 la perméabilité magnétique du vide), comme constante intrinsèque et vitesse maximum de propagation des interactions électromagnétiques.

Les certitudes du XIXe siècle, à savoir la matière corpusculaire (par définition pensait-on...) et la lumière ondulatoire, allaient être confirmées de manière peu banale : « les deux sont les deux », lumière et matière sont de nature à la fois corpusculaire et ondulatoire !

XXe siècle : la dualité onde-corpuscule, 25 « années-lumière »

En 25 ans, soit le dixième de la période considérée de 1676 à 1926, tout s'accélère : les deux révolutions majeures de 1905, celle de la relativité et celle de la mécanique quantique, d'une part mettent tout le monde d'accord en donnant raison à tous (partisans de la théorie corpusculaire et partisans de la théorie ondulatoire), et d'autre part soulèvent un autre problème non résolu à ce jour, celui de la fameuse « théorie unifiée ».

1. Cet exploit de la « théorie unifiée », c'est-à-dire un même corpus conceptuel, mathématique et expérimental pour expliquer divers phénomènes physiques, n'a pas été réédité depuis, puisque même Einstein a passé la deuxième partie de sa vie à essayer de fonder une théorie unifiée entre la Relativité et la Mécanique Quantique.

Nous reviendrons plus en détail dans les chapitres 14 et 18 sur ces théories elles-mêmes, mais tirons les conclusions de ce chapitre consacré à une histoire de la lumière et qui montre une unité certaine de la démarche scientifique sur ces 250 années.

• En 1900 Planck, puis en mars 1905 Einstein émettent l'idée du quantum unitaire de lumière $h\nu$, élément constitutif unitaire d'un faisceau lumineux de fréquence ν ; ces quanta seront mis en évidence de manière expérimentale en 1921 et appelés « photons ». C'était l'introduction du discontinu, à l'opposé du continu de la théorie ondulatoire de Fresnel et des équations de Maxwell[1] : ce discontinu allait dans le sens de la théorie corpusculaire, les photons pouvant être assimilés à des corpuscules lumineux, à la différence près que ces corpuscules sont de masse nulle !

• Toujours en mécanique quantique, Louis de Broglie, qui connaissait bien les travaux de son compatriote Fresnel, établit en 1922 la relation $\lambda = \frac{h}{p}$ pour tout faisceau de lumière ou de particules matérielles[2]. À la suite de quoi, Davisson et Gerner réitèrent les figures d'interférence de Young, mais cette fois sur un faisceau d'électrons, c'est-à-dire de particules matérielles de masse non nulle, de vrais corpuscules ! Le concept ondulatoire est ainsi confirmé de manière éclatante, il s'applique non seulement à la lumière (Young 1803) mais aussi à la matière (Davisson 1927).

• Parallèlement, Einstein, dans son article de juin 1905 sur la théorie de la relativité, postule que la vitesse c de la lumière est un invariant (conformément à toutes les mesures astronomiques depuis 1676 et aux équations de Maxwell). Il rend ainsi compatible la théorie corpusculaire avec la nouvelle mécanique relativiste

1. C'est d'ailleurs pour cette raison que Planck lui-même eut beaucoup de mal à accepter sa propre théorie en 1900 !
2. On a longtemps parlé, en France surtout, de « mécanique ondulatoire » pour cette branche de la mécanique quantique fondée par L. de Broglie.

en levant certaines de ses contradictions dans ce cadre[1] ; un succès *a posteriori* pour les tenants de la théorie corpusculaire au XVIIIe siècle est le fait qu'un nombre consistant de vérifications de la relativité générale se font suivant des expériences ou des concepts qu'ils avaient imaginés sans pouvoir les mesurer avec les instruments de l'époque, comme la déviation des rayons lumineux de Soldner ou les corps obscurs de Michell ancêtres des trous noirs. La comparaison s'arrête là, car leurs intuitions se formaient dans un cadre conceptuel totalement différent, celui de la mécanique newtonienne.

La mécanique quantique confirme donc *et* la théorie corpusculaire *et* la théorie ondulatoire, en définissant la dualité onde-corpuscule de la lumière et de la matière au niveau microscopique.

De même, la relativité confirme *a posteriori* les intuitions des tenants de la théorie corpusculaire au niveau macroscopique (astronomie).

Reste à trouver la théorie unifiée entre relativité et physique quantique, ce qui constitue un enjeu majeur de la physique contemporaine.

1. Par exemple, la constance de la vitesse de la lumière quelle que soit la source, problème auquel se heurtaient les astronomes « corpusculaires » du XVIIIe siècle, ne pose plus de problème dans le cadre de la relativité restreinte par construction ; la « décélération » de la lumière n'a plus de signification dans le cadre de la relativité générale, on parle de « déflexion » dans l'espace-courbe, voir chapitre 14.

CHAPITRE 14

Quelques notions de relativité restreinte

Commençons par la terminologie : la théorie de la relativité restreinte (1905) s'applique aux repères en translation, aux corps en mouvement à vitesse uniforme (non accélérés), bref à tout ce qui a trait à la cinématique[1] ; la théorie de la relativité générale (1915) s'applique aux repères en rotation, aux corps en mouvement à vitesse accélérée sous l'effet de la gravitation, bref à tout ce qui a trait à la dynamique[2].

Contrairement à ce que les termes français laissent entendre, la relativité générale n'est pas l'extension de la relativité restreinte[3] : c'est l'extension à tous les repères accélérés du principe de relativité de Galilée (1632) dans les repères à vitesse uniforme.

---

1. Cinématique, « étude du mouvement des corps abstraction faite des causes qui le provoquent », du grec κινημα (phon. kinema), mouvement.
2. Dynamique, « étude des relations entre les forces et les mouvements qu'elles produisent », du grec δυναμικοζ (phon. dunamikos), fort, puissant.
3. En allemand le principe de relativité restreinte de 1905 s'appelle *Spezielles Relativitätsprinzip,* et a été ainsi nommé après le *Allgemeines Relativitätsprinzip* de 1915 ; Einstein lui-même n'est pas à l'origine du terme « *Relativitätsprinzip* », forgé par les commentateurs de son article de 1905, qui s'intitulait « Sur l'électrodynamique des corps en mouvement ».

La « relativité » est un concept qui existe au moins depuis le XVIIe siècle : en revanche, la conception qu'en formule Einstein en 1905, puis en 1915, est à proprement parler révolutionnaire.

Quelques repères

• Einstein imagine un train avançant à vitesse constante sur une voie rectiligne ; soit $\mathcal{R}$ le repère lié à un observateur fixe sur le talus, et $\mathcal{R}'$ le repère lié à un observateur fixe dans le train, et donc solidaire de lui. On dit que le repère $\mathcal{R}'$ est en translation uniforme par rapport au repère $\mathcal{R}$.

• Einstein fait remarquer que les lois de la nature, relativement au repère $\mathcal{R}'$, doivent se dérouler de la même manière que dans le repère $\mathcal{R}$, puisqu'il n'y a pas lieu de privilégier un repère par rapport à l'autre.

Mettez-vous en effet à la place d'un homme vivant en permanence dans le train : il se contente de remarquer qu'objets, animaux et humains sur le talus défilent tous devant sa fenêtre. Il voit les choses dans son propre repère ; il n'y a pas de raison que les lois de la nature, comme la chute des corps ou la vitesse de la lumière, aient une formulation différente pour lui et pour l'homme sur le talus.

• Einstein fait ainsi référence au « principe de relativité », bien connu puisque Galilée déjà le mentionne en 1632 en imaginant une balle qui tombe au pied du mât dans un bateau en mouvement ou non.

Appelons v la vitesse uniforme du train et w la vitesse uniforme d'un voyageur avançant dans les couloirs du train dans le sens de la marche.

Un observateur placé sur le talus verra le voyageur marchant dans le train à la vitesse w + v, comme sur le tapis roulant d'un couloir de métro : les deux vitesses s'additionnent.

Ainsi (w + v) est la vitesse du voyageur relativement au repère $\mathcal{R}$: cette loi d'addition des vitesses est caractéristique de la mécanique classique ou newtonienne.

Revenons maintenant aux deux repères $\mathcal{R}$ et $\mathcal{R}'$, et imaginons un rayon lumineux se propageant à la vitesse c (vitesse de la lumière) le long du talus, dans le même sens que le train.

• L'observateur sur le talus voit passer le rayon lumineux à la vitesse c.

• Si l'on applique la loi classique d'addition des vitesses, l'observateur immobile dans le train voit théoriquement le rayon lumineux arriver à une vitesse inférieure, à la vitesse (c – v) : le rayon lumineux doit « rattraper » le train.

• Or cela contredit le principe de relativité, à savoir qu'il n'y a aucune raison pour qu'un observateur vivant dans le train, avec ses propres références, perçoive un phénomène naturel comme la vitesse de la lumière différemment d'un observateur placé sur le talus.

Einstein en déduit que soit le principe de relativité est faux, soit la loi classique d'addition des vitesses est fausse.

Simultanéité de deux événements et relativité de la notion de temps

Soit M le point sur le talus où est placé l'observateur fixe. On suppose que la foudre frappe au même moment en deux points A et B à égale distance de M. L'observateur fixe en M verra les deux rayons lumineux arriver de A et de B au même moment, et il pourra logiquement conclure à la simultanéité des événements.

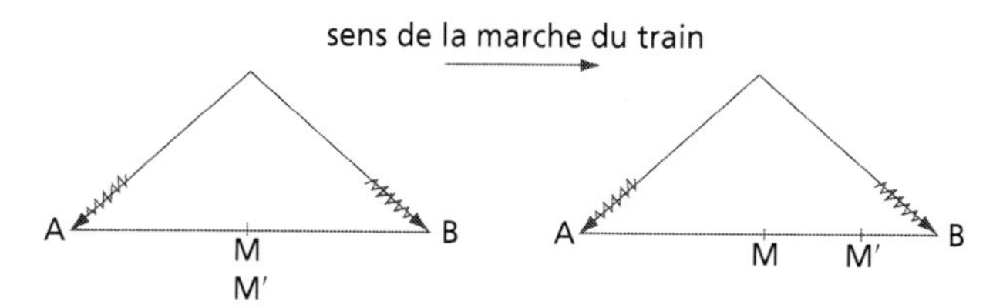

Figure 14.1 : Relativité de la simultanéité.

Pour l'observateur placé dans le train, en un point M′, qu'en est-il de ces deux événements ?

• Par simplification et par convention, on suppose que M′ coïncide avec M au moment où frappe la foudre.

• Même si la foudre frappe A et B au même moment, l'observateur dans le train ne va pas voir les rayons arriver au même moment. En effet, il se rapproche de B à la vitesse v et s'éloigne de A à la vitesse v. Il verra le rayon de lumière arriver de B avant celui qui arrive de A. Pour lui, les deux événements ne sont pas simultanés : il aura l'impression que la foudre est tombée en B avant de tomber en A.

• Einstein en déduit la notion majeure de relativité du temps, conséquence directe de la constance de la vitesse de la lumière. Deux événements simultanés dans $\mathcal{R}$ ne le sont pas dans $\mathcal{R}'$: chaque repère a sa propre horloge.

Équations de la mécanique relativiste

Prenons un des événements ci-dessus, par exemple celui où la foudre tombe en B. Soit (x, y, z) les coordonnées de B dans $\mathcal{R}$, t l'instant où il se produit dans $\mathcal{R}$; soient (x′,y′,z′) les coordonnées de B dans $\mathcal{R}'$, t′ l'instant où cela se produit dans $\mathcal{R}'$. L'axe des coordonnées x est celui du talus.

• Les équations de la mécanique classique (dite « newtonienne » ou « galiléenne ») se déduisent du principe d'addition des vitesses :

$t' = t$ (temps universel en mécanique classique, pas de relativité du temps),

$x' = x - vt$ (l'observateur placé dans le train s'est rapproché de B d'une distance vt),

$y' = y$ (rien ne s'est passé sur cet axe),

$z' = z$ (rien ne s'est passé sur cet axe).

• Einstein introduit les équations de la mécanique relativiste en utilisant la de transformation de Lorentz-Poincaré :

$$\mathbf{t'} = \frac{\mathbf{t} - \frac{\mathbf{xv}}{\mathbf{c}^2}}{\sqrt{\mathbf{1} - \frac{\mathbf{v}^2}{\mathbf{c}^2}}} \quad \text{(relativité du temps)}$$

$$\mathbf{x'} = \frac{\mathbf{x} - \mathbf{vt}}{\sqrt{\mathbf{1} - \frac{\mathbf{v}^2}{\mathbf{c}^2}}} \qquad y' = y \qquad z' = z.$$

Même si nous ne démontrons pas ces équations ici, vérifions trois points importants.

• *Point 1.* Ces équations résolvent la contradiction ci-dessus.

Soit un rayon lumineux se propageant à la vitesse c dans $\mathcal{R}$, v restant la vitesse du train, on a x = ct ; on en déduit $x' = \frac{(c - v)t}{\sqrt{1 - \frac{v^2}{c^2}}}$ et

$$t' = \frac{t - \frac{vt}{c}}{\sqrt{1 - \frac{v^2}{c^2}}} \ ;$$

on en déduit x′ = ct′, et on vérifie que la lumière se propage suivant la même équation et à la même vitesse c dans les deux repères (x = ct et x′ = ct′).

• *Point 2.* Ces équations correspondent à celles de Galilée quand les vitesses v sont petites par rapport à la vitesse de la lumière : dans la nature, les vitesses sont loin d'approcher celle de la lumière, d'où la difficulté de percevoir de manière empirique les effets de la théorie de la relativité.

Aux vitesses habituelles, v est très petit devant c, on a $\frac{v^2}{c^2} \ll 1$, et $\sqrt{1 - \frac{v^2}{c^2}} \approx 1$; les équations de Lorentz-Poincaré ci-dessus redeviennent celles de Galilée.

• *Point 3 :* On vérifie facilement que

$x'^2 + y'^2 + z'^2 - c^2t'^2 = x^2 + y^2 + z^2 - c^2t^2$: c'est un invariant relativiste correspondant à la définition d'un événement de l'espace-temps (dans notre exemple « la foudre tombe en B »), que ce soit dans le repère $\mathcal{R}$ ou dans le repère $\mathcal{R}'$.

En ce qui concerne la loi d'addition des vitesses, elle n'est plus égale, pour deux vitesses u et v dans la même direction et le même sens, à u + v, mais à

$$\frac{u+v}{1+\frac{uv}{c^2}} \qquad (1)$$

• quand u et v sont petits devant c, on a $\frac{uv}{c^2} << 1$, on retrouve u + v loi de Galilée ;

• quand une des vitesses, u par exemple, égale c, la formule donne c (toute vitesse ajoutée à c donne c) ;

• pour tout u et pour tout v, la formule donne une valeur inférieure ou égale à c (c est une vitesse maximale).

Ce n'est plus une loi d'addition des vitesses, mais une loi de « composition » des vitesses.

Discussion sur le cône de lumière

Un an après la théorie de la relativité restreinte d'Einstein, le mathématicien Hermann Minkowski crée la notion d'« espace-temps » à quatre dimensions (x, y, z, t), avec la métrique associée : $ds^2 = dx^2 + dy^2 + dz^2 - c^2dt^2$. Elle diffère de la métrique classique de notre espace euclidien $ds^2 = dx^2 + dy^2 + dz^2$ par son dernier terme.

Le temps n'est pas « la quatrième dimension de l'espace », temps et espace sont indissociablement liés dans un espace-temps dual. On retrouve une idée de cette dualité dans le terme familier, bien que le concept ne le soit pas, « d'année-lumière », qui est une mesure non de temps mais de distance, distance parcourue par la lumière en une année (une année-lumière = environ 10^{13} km).

Une autre représentation possible de l'espace-temps est celle du cône de lumière (figure 14.2).

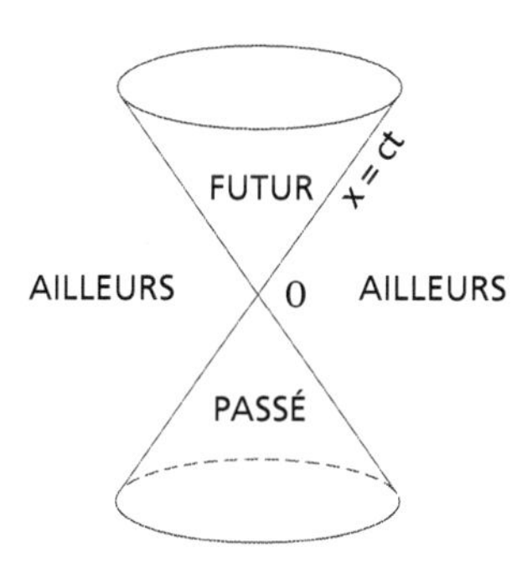

Figure 14.2 : Le cône de lumière de l'événement O ; depuis O on trace le cône (ou sablier) généré par la droite x = ct. La surface externe du cône définit les événements tels que $ds^2 = 0$, l'intérieur du cône les événements tels que $ds^2 < 0$, l'extérieur du cône les événements tels que $ds^2 > 0$.

Dans l'espace-temps, on ne définit plus un « point » avec ses coordonnées (x, y, z) comme on le fait dans l'espace euclidien, mais un « événement », c'est-à-dire quelque chose qui se produit à un endroit donné à un instant donné, défini par ses quatre coordonnées (x, y, z, t).

• *1re zone d'espace-temps* : un événement O′ situé en dehors du cône ($ds^2 > 0$, soit $dx^2 + dy^2 + dz^2 > c^2dt^2$).

Aucun mobile ne peut assister aux deux événements car, pour ce faire, il lui faudrait aller plus vite que la lumière ; l'intervalle qui sépare les deux événements est un intervalle du genre espace ($ds^2 > 0$).

On est dans « l'ailleurs » : aucun événement de cette zone ne peut influencer l'événement O ou être influencé par lui (l'effet ne peut précéder la cause).

Pour en donner une illustration, l'événement « le Soleil s'éteint » est hors du « cône de lumière » de la Terre, seul l'événement « il y a huit minutes que le Soleil s'est éteint » est dans le cône de la Terre. En effet, compte tenu de la vitesse de la lumière, nous ne pouvons prendre connaissance de l'extinction du Soleil que huit minutes après.

• *2e zone d'espace-temps* : un événement O′ situé dans le cône ($ds^2 < 0$, soit $dx^2 + dy^2 + dz^2 < c^2dt^2$).

Il est physiquement possible à un mobile d'assister aux deux événements, en se déplaçant à une vitesse inférieure à celle de la lumière ; l' intervalle qui sépare les deux événements ($ds^2 < 0$) est un intervalle du genre temps.

Dans la partie du cône située au-dessus de O, c'est la zone de lumière future, où se situent l'ensemble des événements qui peuvent être influencés par l'événement O. Dans la partie du cône située en dessous de O, c'est la zone de lumière passée, où se situe l'ensemble des événements qui peuvent avoir eu une influence sur l'événement O.

• *3e zone d'espace-temps* : un événement O′ situé sur le cône ($ds^2 = 0$, soit $dx^2 + dy^2 + dz^2 = c^2dt^2$).

Les deux événements appartiennent au même rayon lumineux, un des deux événements est la vision de l'autre ; l' intervalle qui sépare les deux événements ($ds^2 = 0$) est un intervalle du genre lumière.

On est sur le cône de lumière de l'événement O : à titre d'illustration, je vois en O′ le rayon que le Soleil a émis huit minutes auparavant, il reflète son état huit minutes auparavant.

Conservation de la quantité de mouvement Masse relativiste

La quantité de mouvement en mécanique classique est donnée par $p = mv$. Un principe important de la mécanique classique est la *conservation de la quantité de mouvement*. On peut se représenter facilement ce principe par le choc de boules de même masse :

• La boule blanche arrive à la vitesse de 70 km/h vers la boule grise immobile ; après le choc, elles repartent toutes deux avec une vitesse de 35 km/h. La quantité de mouvement avant le choc est $p_i = mv$ (boule blanche) + 0 (boule grise) = mv ; après le choc, elle vaut

$p_f = \frac{mv}{2}$ (boule blanche) + $\frac{mv}{2}$ (boule grise) = mv = p_i. Il y a conservation de la quantité de mouvement (figure 14.3).

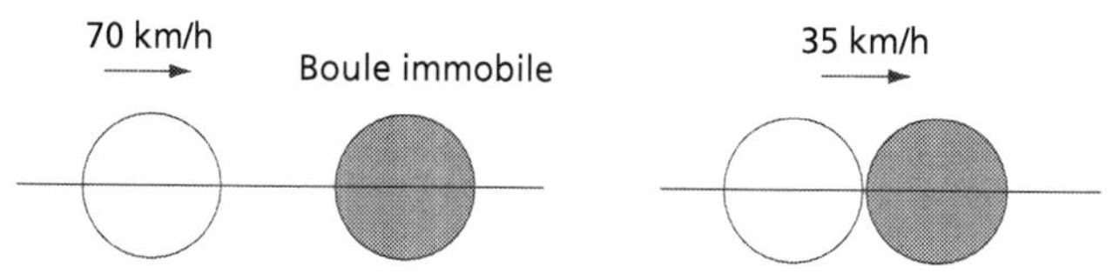

Figure 14.3

• Les deux boules arrivent l'une vers l'autre chacune à la même vitesse ; après le choc, elles sont toutes deux immobiles.

La quantité de mouvement avant le choc est $p_i = \frac{mv}{2}$ (boule blanche) + $\left(-\frac{mv}{2}\right)$ (boule grise) = 0 ; après le choc elle vaut $p_f = 0 = p_i$. Il y a conservation de la quantité de mouvement (figure 14.4).

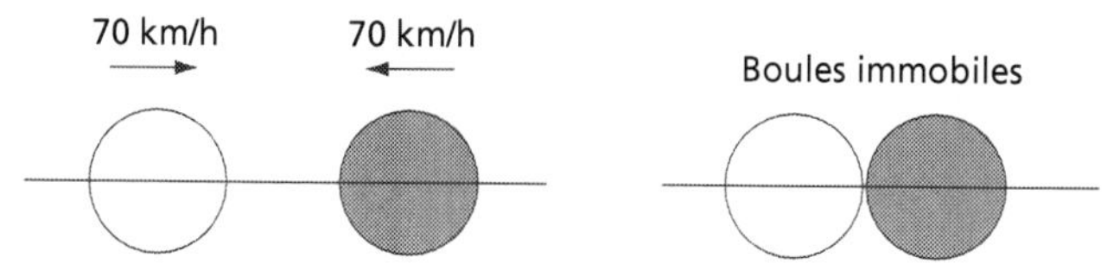

Figure 14.4

La loi de conservation de p est, comme celle des vitesses en mécanique galiléenne, une loi additive : $p_{blanche} + p_{grise}$ (avant le choc) = $p'_{blanche} + p'_{grise}$ (après le choc). Elle est bâtie sur cette loi d'addition des vitesses comme le montrent les deux exemples ci-dessus.

Une conséquence des équations de Lorentz est que la conservation de la quantité de mouvement n'est plus compatible avec le principe relativiste de composition des vitesses *(1)* ci-dessus. Einstein cherche cependant à maintenir les deux principes concernant d'une part p (conservation de la quantité de mouvement) et d'autre part v (loi de composition des vitesses *(1)*), en s'interrogeant sur *le troisième terme* de l'équation p = mv, c'est-à-dire la masse m, où il fait intervenir un coefficient variable.

• $p_c = mv_c$ quantité de mouvement classique, avec vitesse classique : cette quantité p_c se conserve.

• $p_r = \gamma m v_r$ quantité de mouvement relativiste, γ étant un coefficient dépendant de la vitesse relativiste v_r limitée par c : cette quantité p_r se conserve.

Le calcul utilisant les équations de Lorentz donne pour le coefficient $\gamma = \frac{1}{\sqrt{1-\frac{v^2}{c^2}}}$ (on adopte aussi la notation $\beta = \frac{v}{c}$) ; et donc la quantité de mouvement relativiste est :

$$p_r = \frac{mv_r}{\sqrt{1-\frac{v_r^2}{c^2}}}.$$

Quand $v \ll c$, on retrouve $\gamma = 1$, soit $p_r = p_c$.

Équivalence masse-énergie ; E = mc²

Une première manière de mettre en évidence l'équivalence masse-énergie est de développer ce qu'on appelle par convention $m = \gamma m_0$, soit

$$m = \frac{m_0}{\sqrt{1-\frac{v^2}{c^2}}} = m_0 + \frac{1}{2}m_0\frac{v^2}{c^2} + \ldots$$

Si l'on multiplie cette identité par c^2, on obtient $mc^2 = m_0c^2 + \frac{1}{2}m_0v^2 + \ldots$ On retrouve comme terme du premier ordre l'énergie cinétique traditionnelle $\frac{1}{2}m_0v^2$.

Cela permet de donner le nom d'« énergie relativiste » à mc^2, qui a la dimension d'une énergie. Le développement de γm_0 donne donc l'équivalent masse-énergie :

$$E = mc^2 \approx m_0c^2 + \frac{1}{2}m_0v^2 \quad (1)$$

On voit apparaître un nouveau terme m_0c^2, qui est l'énergie au repos (v = 0) de la particule dans son repère propre, ou énergie propre E_0.

La valeur de ce résultat est d'ordre interprétatif. Présentons aussi une manière plus formalisée de le retrouver, en calculant l'accroissement d'énergie cinétique E_C d'un corps en mouvement sous l'effet d'une force F :

$$dE_c = Fdx = \frac{dp}{dt} \times dx = dp \times \frac{dx}{dt} = vdp = vd(mv)$$

$$= v \times (mdv + vdm) = v^2dm + mvdv \quad (2)$$

On reconnaît dans ce dernier terme de l'égalité (v^2dm + mvdv) un terme de dynamique classique mvdv (en mécanique classique $E_c = \frac{1}{2}mv^2$ donc dE_c = mvdv), auquel vient s'ajouter un terme relativiste correspondant à la variation de la masse avec la vitesse :

$$dm = m_0 d\gamma = m_0 d\left(\frac{1}{\sqrt{1-\beta^2}}\right) = m_0 \frac{\beta d\beta}{(1-\beta^2)^{\frac{3}{2}}} = m_0\gamma^3\beta d\beta \quad (3)$$

(avec, par souci de simplification, les notations $\beta = \frac{v}{c}$ et $\gamma = \frac{1}{\sqrt{1-\beta^2}}$).

On déduit donc d'après *(2)*

$$dE_c = m_0\gamma^3 v^2 \beta d\beta + m_0\gamma v dv = m_0\gamma^3(\beta c)^2\beta d\beta + m_0\gamma c^2 \beta d\beta$$

$$dE_c = m_0\gamma^3 c^2 \beta d\beta \times \left(\beta^2 + \frac{1}{\gamma^2}\right) = m_0\gamma^3 c^2\beta d\beta \times (\beta^2 + 1 - \beta^2)$$

$$= m_0\gamma^3 c^2 \beta d\beta \quad (4)$$

On constate, avec l'identité $\left(\beta^2 + \frac{1}{\gamma^2}\right) = 1$, que les deux termes de *(2)* se réduisent à un seul terme marquant la variation d'énergie relativiste (comme mvdv marque la variation d'énergie classique) ; ce terme est, si l'on remplace *(3)* dans *(4)*

$$dE_c = c^2 dm \quad (5)$$

• Un léger accroissement dE_C en énergie se traduit par un accroissement dm de la masse, et *vice versa*.

L'équation *(5)* s'intègre en $E_c = mc^2 + \text{constante}$; si l'on fait le développement en série de mc^2 comme en *(1)*, on a $E_c = m_0c^2 + \frac{1}{2} m_0v^2 + \text{constante}$; or $E_c = \frac{1}{2} m_0v^2$, donc la constante est égale à $- m_0c^2$:

$$E_c = (m - m_0)\, c^2 = (\gamma - 1)\, m_0c^2$$

Si l'on appelle E l'énergie totale de la particule, somme de son énergie cinétique et de son énergie au repos :

$$E = E_0 + E_c = m_0c^2 + E_c \qquad (6)$$

on retrouve $E = mc^2$.

Plus que la dernière formule, c'est l'identité *(6)* qui est intéressante, car elle montre l'apparition du terme relativiste m_0c^2, énergie au repos, qui n'apparaît pas en mécanique traditionnelle.

Une introduction à la relativité générale (1915)

Par construction, la relativité restreinte était faite pour s'accorder avec l'électromagnétisme de Maxwell et les repères en mouvement relatif uniforme. Cependant, malgré les efforts d'Einstein, la théorie de la relativité restreinte ne s'accordait pas avec les lois de la gravitation et les repères en mouvement relatif accéléré.

Par ailleurs, la gravitation semblait se transmettre de manière instantanée : or, d'après le principe de relativité restreinte, il n'est pas possible de transmettre un signal quelconque à une vitesse supérieure à celle de la lumière.

En 1907 Einstein a une illumination heureuse[1], c'est sa première « expérience de pensée », celle de l'homme en chute libre depuis le sommet d'un toit : s'il perd son portefeuille pendant sa chute, celui-ci descend à la même vitesse que lui, l'homme n'a pas l'impression

1. « *Der glücklichste Gedanken meines Lebens* », la pensée la plus heureuse de ma vie, dira plus tard Einstein.

d'être dans un champ de gravité. « Dans un repère uniformément accéléré (par exemple un ascenseur en chute libre), toutes les lois de la nature sont localement les mêmes » : c'est le « principe d'équivalence », ou la généralisation aux repères uniformément accélérés du principe de relativité de Galilée applicable aux repères à vitesse uniforme.

Einstein introduit en 1915, avec des outils mathématiques très sophistiqués qu'il met un certain temps à s'approprier (dont la géométrie à courbure positive de Riemann exposée en chapitre 8), un espace-temps courbe, gauchi par la distribution de masses qu'il contient : une planète ne se déplace pas sur une orbite courbe autour d'une étoile à cause de la force de gravitation, mais parce que dans un espace courbe, la trajectoire la plus courte, trajectoire du « moindre effort » ou géodésique, est un grand cercle[1].

En relativité générale, la gravitation n'est plus une force (donc ne se transmet pas, à quelque vitesse que ce soit), mais une conséquence de la géométrie et de la courbure de l'espace-temps : la force d'attraction entre planètes ou de gravitation, base des différents systèmes solaires, n'a plus d'existence. Les planètes tournent autour des astres à cause de la distribution des masses dans l'espace-temps[2].

Après avoir révolutionné la notion de temps en 1905 en introduisant des temps différents suivant les repères, Einstein en 1915 révolutionne la notion d'espace (et tout particulièrement l'espace sidéral) en introduisant la géométrie courbe de l'espace-temps.

---

1. On pourrait dire « le grand cercle d'un espace à géométrie riemannienne à quatre dimensions » ; pour des artefacts en trois dimensions de ces notions, voir chapitre 8 ; il ne rentre en effet pas dans les objectifs de ce livre de donner les outils mathématiques et équations de la relativité générale.
2. On a pu parler à ce propos de « géométrisation de la physique » par la relativité générale, ce qui est une image assez juste.

CHAPITRE 15

Preuves expérimentales et applications de la relativité

« Une nouvelle vérité scientifique ne triomphe pas en convainquant ses adversaires et en leur faisant entrevoir la lumière, mais plutôt parce que ses adversaires meurent et qu'une nouvelle génération, arrive, familiarisée avec cette vérité. »

Max Planck

Peu de théories physiques auront suscité autant de querelles que la relativité.

Son caractère difficile à appréhender quand Einstein l'a publiée, sa relative éclipse par la mécanique quantique à partir de 1925, la quasi-impossibilité de preuves expérimentales entre 1919 (mesures de déviation des rayons lumineux et confirmation de la théorie, *cf.* ci-dessous) et les années 1960[1] – avant le troisième test et surtout la conquête de l'espace qui est, avec la physique nucléaire, le terrain d'application et de vérification de la relativité – constituent sans doute une partie de l'explication.

Sans compter les attaques plus ou moins malintentionnées dirigées, à travers sa théorie, contre Einstein et sa personnalité : de la *Deutsche Physik* sous les nazis jusqu'à des attaques encore récentes d'illuminés contre la relativité.

De manière amusante et sensée, Olivier Costa de Beauregard dans [15] assimile les éternels contempteurs de la relativité aux inventeurs du mouvement perpétuel et de la quadrature du cercle.

1. Le physicien et historien de la relativité J. Eisenstaedt a été amené à qualifier cette période d'un titre évocateur : « La relativité générale à l'étiage, 1925-1955 », *Archive for History of Exact Sciences*, vol. 35 (1986).

Le premier test : l'avance du périhélie de Mercure (novembre 1915)

Comme pour toutes les planètes, le périhélie de Mercure (c'est-à-dire le grand axe de l'ellipse que forme sa trajectoire), et avec lui l'ensemble de sa trajectoire décrivent très lentement un cercle autour du Soleil (voir figure 15.1). Cette rotation de la trajectoire des planètes est expliquée en mécanique newtonienne par l'influence des autres planètes du système solaire (dans le simple problème à deux corps Planète-Soleil, cette rotation n'existe pas). Elle est d'autant plus sensible que la planète est plus proche du Soleil (Mercure est en effet la planète la plus proche du Soleil).

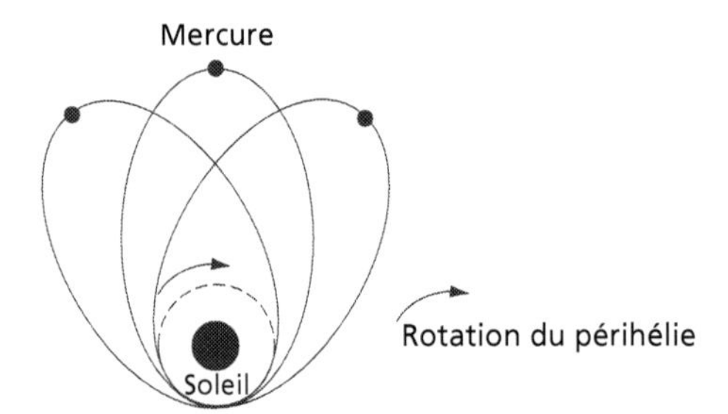

Figure 15.1 : La planète Mercure tourne autour du Soleil en 88 jours (ici l'excentricité de l'ellipse est exagérée). Sa trajectoire tourne elle-même autour du Soleil : le périhélie, à savoir le point de la trajectoire le plus proche du Soleil (ici en bas sur la figure), décrit lui-même une lente rotation autour du Soleil (d'une période de l'ordre de 225 000 ans).

Sur la base des tables d'observation de Mercure, assez détaillées depuis l'Antiquité puisque cette planète tourne autour du Soleil en 88 jours, les astronomes mettent en évidence au milieu du XIXe siècle une rotation du périhélie de la planète de 570 secondes d'arc par siècle (une minute d'arc = $\frac{1}{60^e}$ degré). Cette rotation s'explique de manière naturelle par l'influence des corps tiers – les autres planètes –, mais il reste une différence inexpliquée de 43 secondes d'arc par siècle. Cette différence, qu'on appelle « avance du périhélie de Mercure », correspond au fait que le périhélie tourne un peu plus vite qu'on ne s'y attend : c'est la première contradiction à la théorie de la gravitation de Newton.

Einstein, une fois la théorie de la relativité générale formulée en 1916, selon laquelle la déformation de l'espace-temps par le Soleil perturbe la trajectoire des planètes, applique sa théorie à ce phénomène ; il trouve 43 secondes d'arc ± 1 ce que confirment les mesures actuelles à 43,11. Pour les autres planètes, plus éloignées du Soleil, l'effet infime est difficilement mesurable.

Cette explication de l'avance du périhélie de Mercure par la relativité générale en 1916 constitue une première validation de la théorie.

Le deuxième test : la déviation des rayons lumineux par le Soleil (éclipse de 1919)

La relativité générale prévoit la déviation des rayons stellaires à proximité du Soleil, due à la déformation de l'espace-temps par le Soleil.

• La valeur de la déviation en mécanique newtonienne, sur la base des forces de gravitation, est donnée par l'astronome allemand Soldner en 1801 (théorie corpusculaire de la lumière, voir chapitre 13) : $\frac{2GM_s}{R_s c^2}$, où M_S et R_S sont respectivement la masse et le rayon du Soleil, et G la constante de gravitation ; il trouve 0,875″ d'arc.

• La valeur de la déviation en mécanique relativiste, obtenue par résolution des équations de la relativité générale (sans force de gravitation), est exactement le double, soit $\frac{4GM_s}{R_s c^2}$; ce qui donne 1,75″ d'arc.

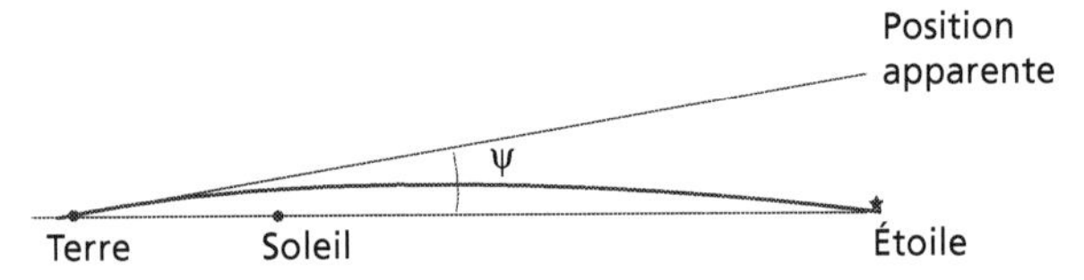

Figure 15.2 : Courbure d'un rayon stellaire au voisinage du Soleil : il apparaît un angle d'aberration Ψ = 1,75″ d'arc entre la direction apparente de l'étoile et sa direction réelle.

Cet effet de déviation des rayons lumineux des étoiles par le Soleil n'est en général pas observable sur Terre puisque, dans la journée, les étoiles ne sont pas visibles. Il n'est observable que pendant une éclipse totale de Soleil ; il est maximal pour une étoile située dans l'alignement Terre-Soleil.

Le 29 mai 1919, date prévue d'une éclipse de Soleil, l'astronome anglais Eddington[1] conduit une expédition au Brésil et en Guinée pour mesurer sa déviation : au Brésil 1,98″ ± 0,12, en Guinée 1,61″ ± 0,30.

Même si la précision de l'observation et celle du résultat étaient médiocres, les mesures s'accordaient beaucoup mieux aux calculs de la relativité générale qu'à ceux de la mécanique newtonienne.

Cette campagne de mesures pendant l'éclipse de 1919 – qu'on a appelée après coup « le second test de la relativité générale » – assura le succès immédiat de la théorie de la relativité auprès du grand public.

Par la suite, les astronomes se sont attachés à préciser ces mesures. Posant que la déviation d'un rayon lumineux au voisinage du

1. On notera à ce propos l'importance des astronomes anglais et de la *Royal Astronomy Society,* de la découverte de l'aberration des astres par Bradley en 1676 à la vérification de la relativité générale par Eddington en 1919.

Soleil est égale à $\frac{2GM_s}{R_s c^2}(1+\gamma)$, ils ont mesuré depuis quatre-vingts ans la valeur du paramètre γ (égal à 0 en mécanique newtonienne et à 1 en mécanique relativiste). Comme on le voit sur la figure 15.2, on mesure maintenant grâce au satellite Hipparcos $\gamma = 1$ avec une précision de 0,04 %.

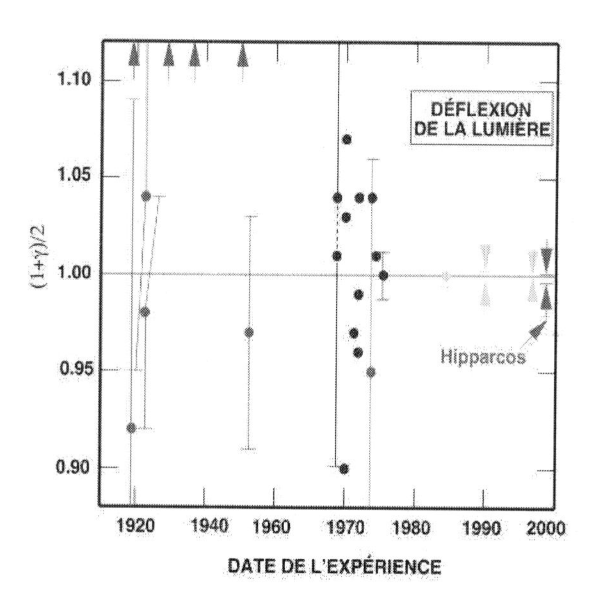

Figure 15.3 : Quatre-vingts années de mesure du paramètre γ, depuis l'éclipse de 1919 jusqu'au satellite Hipparcos. On remarquera au passage la période de désintérêt autour de la relativité générale, entre les années 1920 et 1960. (Crédits André Rougé et Clifford Will http://relativity.livingreviews.org/)

Le troisième test : le déplacement des raies d'un spectre lumineux

Ce troisième test est connu sous le nom d'« effet Doppler gravitationnel », ou « effet Einstein » : il s'agit d'un changement de fréquence de la lumière dû à la gravitation.

Il est conceptuellement différent des deux premiers : ceux-ci sont déduits de la résolution des équations de la relativité générale, ils correspondent à des effets connus avant la relativité mais que celle-ci explique dans toute leur précision (périhélie de Mercure, déviation apparente de la position d'une étoile par courbure de son rayon lumineux).

Le troisième test concerne un effet nouveau, et c'est le seul test du « principe d'équivalence » (voir chapitre précédent), à savoir l'équivalence entre gravitation et accélération. Einstein écrivait d'ailleurs : « Si ce test n'est pas vérifié, l'ensemble de la théorie est compromis. »

• La lumière dans un champ de gravitation se comporte comme dans un champ d'accélération (principe d'équivalence) ; ainsi, un rayon lumineux se dirigeant vers la Terre voit ses fréquences augmenter par accélération des photons et conformément à l'effet Doppler (chapitre 12). Sur une distance H en direction de la Terre, le décalage du spectre lumineux vers le bleu (augmentation des fréquences) se mesure par $\frac{\Delta\omega}{\omega} = G\frac{H}{c^2}$.

• La fréquence d'un rayon lumineux ne pourrait rester constante que dans un repère « absolu » ; la relativité générale met en cause la notion de repère absolu newtonien. Il n'existe pas d'espace stellaire absolu, mais un espace-temps où s'appliquent localement les champs de gravitation dus aux masses célestes.

Une masse gravitationnelle modifie donc la trajectoire d'un rayon lumineux (deuxième test de la relativité générale) et son spectre de fréquences (troisième test de la relativité générale).

Einstein ne devait pas voir de son vivant la nouvelle confirmation de sa théorie par ce troisième test, qui aura lieu cinq années après sa mort. Les Américains Pound et Rebka rendent compte en 1960 dans le *Bulletin* de l'American Physical Society[1] de l'incroyable expérience suivante ; elle était rendue possible par l'effet Mössbauer, découvert en 1957 par ce physicien des hautes énergies, permettant la production par excitation atomique d'un photon d'énergie – et donc de fréquence – précisément définies.

• Un photon d'énergie donnée est émis en haut d'une tour de 23 mètres (à l'Université de Harvard) ; en descendant, il gagne une énergie gravitationnelle, sa fréquence augmente et se trouve « décalée vers le bleu » d'une valeur relative $\frac{G \times H}{c^2}$ (H est la hauteur de la tour).

• Un photon de même énergie est émis en bas de la même tour, en montant il perd une énergie gravitationnelle, sa fréquence diminue et se trouve « décalée vers le rouge » d'une valeur relative $\frac{G \times H}{c^2}$.

• Le décalage total attendu peut s'écrire $\frac{\Delta\omega}{\omega} = \frac{2G \times H}{c^2}$, soit, pour H = 23 mètres, un effet infime de $2\frac{G \times H}{c^2} = \frac{2 \times 9{,}81 \times 23}{(3 \times 10^8)^2} = 5 \times 10^{-15}$; il est pourtant mesuré avec une remarquable précision par Pound et Rebka : c'est le troisième test de la relativité générale.

Une application de la relativité : la correction d'horloges dans le GPS

La mécanique quantique a de nombreuses applications (industrie des semi-conducteurs et de l'informatique notamment) ; la rela-

1. De manière tout à fait évocatrice, cet article s'appelle « The apparent weight of photons », puisque tout se passe comme si le photon, censément de masse nulle, gagnait une masse liée à l'énergie qu'il acquiert.

tivité, quant à elle, n'a qu'une seule application dans la vie quotidienne, et très récente puisqu'il s'agit du GPS (Global Positioning System).

Le principe du GPS étant fondé sur la mesure du temps de parcours de signaux électroniques, il est important que les horloges au sol et les horloges situées dans les satellites du système GPS soient bien synchronisées.

La formule de correction du GPS par les deux théories de la relativité est la suivante :

$$\frac{\Delta\omega}{\omega} = \frac{\Delta\phi}{c^2} - \frac{v^2}{2c^2}.$$

$\frac{\Delta\omega}{\omega}$ est l'expression du décalage de fréquence des horloges (entre l'horloge embarquée en satellite et l'horloge au sol), et donc du décalage du temps.

• Le premier terme est lié à la relativité générale, il exprime la différence de champ gravitationnel entre les deux horloges (« effet Doppler gravitationnel ») ; c'est exactement le même que le terme exprimé dans le paragraphe consacré au « troisième test » ci-dessus (différence de potentiel gravitationnel en haut et en bas de la tour).

• Le deuxième terme est lié à la relativité restreinte, il exprime la différence de temps compte tenu du fait qu'une des horloges est embarquée dans un satellite GPS, de vitesse non négligeable par rapport à celle de la lumière (environ 14 000 km/h) : ce terme correspond au développement au premier ordre de la relation de Lorentz (voir chapitre 14) $t' \approx t \times \left(1 + \frac{v^2}{2c^2}\right)$, soit $\frac{\Delta\omega}{\omega} = -\frac{\Delta t}{t} = -\frac{t' - t}{t} = -\frac{v^2}{2c^2}$.

L'application numérique ci-dessous donne une correction de 46 µs (microsecondes) par jour pour le premier terme, et de 8µs par jour *dans l'autre sens* pour le second terme, soit au total 38 µs par jour. Cette application valide les deux théories de la relativité ; on constate au passage que l'une n'est pas la généralisation de l'autre, elles s'appliquent à des choses différentes et de manière complémentaire.

Calcul des corrections du GPS dues aux deux théories de la relativité $\frac{\Delta\omega}{\omega} = \frac{\Delta\Phi}{c^2} - \frac{v^2}{2c^2}$

Il est intéressant de mener jusqu'à son terme ce calcul[1], qui montre une application des deux théories de la relativité dans un usage fréquent comme le GPS.

• Calculons le second terme dû à la relativité restreinte : un satellite GPS a une vitesse v de 14 000 km/h, soit environ 4 km/s ; ω la pulsation du temps dans le satellite est plus faible que sur Terre ; le décalage temporel sur une journée est de :

$$\frac{\Delta\omega}{\omega} = -\frac{v^2}{2c^2} \times 1 \text{ jour} = -\frac{4^2}{2 \times 300000^2} \times 24 \times 3600 = -8\mu s.$$

• Concernant le premier terme dû à la relativité générale, raisonnons pour comprendre son signe : en cas de gravitation très intense (par exemple un trou noir), le temps se ralentit jusqu'à s'arrêter ; le temps passe plus lentement au voisinage des masses de l'espace-temps. Dans ce cas, la pulsation ω du temps dans le satellite est plus élevée que sur Terre, puisque l'horloge terrestre subit le champ de gravitation de la Terre de manière plus forte que l'horloge en satellite. À l'inverse du cas précédent, $\frac{\Delta\omega}{\omega}$ est positif.

• Calculons donc le premier terme dû à la relativité générale : un satellite GPS ayant une altitude h de 20 000 km, le potentiel gravitationnel à la surface de la terre est $\phi_1 = -G\frac{M_T}{R_T} = -6{,}3 \times 10^7$, R_T étant le rayon de la Terre ; le potentiel gravitationnel au niveau du satellite est

1. Il montre aussi que, de manière complémentaire à une compréhension globale des concepts relativistes, il est possible – sous certaines conditions – de faire des *calculs* de relativité générale.

$$\phi_2 = -G\frac{M_T}{h+R_T} = \phi_1 \times \frac{R_T}{h+R_T} = -6{,}3\times 10^7 \times \frac{6500}{26500} = -1{,}5\times 10^7 \ ;$$

on calcule ainsi le décalage temporel sur une journée :

$$\Delta T = \frac{\phi_2-\phi_1}{c^2}\times 1 \text{ jour} = \frac{4{,}8\times 10^7}{(3\times 10^8)^2}\times 24\times 3600 = 46\,\mu s.$$

Le GPS corrige donc chaque jour un décalage de 38 microsecondes en application des deux théories de la relativité : s'il n'en était pas ainsi, il perdrait chaque jour 12 km (38 microsecondes-lumière) en précision. Le fait qu'il est connu pour sa précision (on parle de 1 mètre à présent !) est une confirmation des deux théories de la relativité et une de leurs applications quotidiennes.

Il est d'ailleurs plaisant de constater que le problème dit « de synchronisation des horloges », dans des cadres et à des époques différents, est au cœur de la relativité :

• En 1900, c'est la synchronisation des horloges sur le réseau ferré allemand – « Comment fait-on partir les trains à une heure donnée depuis des villes différentes ? » est en effet une question d'importance pour éviter les collisions – qui est à la base de la réflexion d'Einstein et de sa conceptualisation du temps relatif et de la relativité restreinte.

• En 2000, c'est la synchronisation des horloges pour le GPS, autre forme de communication[1], qui est à la base de l'application quotidienne de cette théorie : la boucle est bouclée !

1. Signalons au passage que le « temps GPS » (et pas seulement la position GPS) est utilisé dans de nombreuses applications, par exemple la synchronisation du temps de toutes les stations-relais des réseaux GSM : pour que vous receviez un appel, il est nécessaire de savoir où vous êtes et à quel moment vous y êtes.

CHAPITRE 16

Et si Dieu existe, qui l'a créé, lui ?

Au XXe siècle, l'astronomie allait connaître une véritable révolution, bénéficiant de moyens d'observation toujours plus élaborés. À partir de 1960 la conquête de l'espace donne à l'astronomie - et avec elle à la physique - des moyens de vérification et de mesure. Elle ouvre aussi un nouveau champ d'investigation à d'autres branches de la science, comme la géologie ou la biologie. Mais ce sont aussi de nouvelles questions métaphysiques et philosophiques que la conquête de l'espace et l'astronomie du XXe siècle nous posent.

L'expansion de l'Univers - la théorie du big bang

En 1929, l'astronome anglais Hubble fait une observation fondamentale : la plupart des galaxies observées présentent un décalage de leurs fréquences vers le rouge, c'est-à-dire qu'elles s'éloignent. L'univers est donc en expansion, d'une quantité égale à 5 à 10 % tous les milliards d'années.

Il observe par ailleurs que l'ampleur du décalage vers le rouge, et donc la vitesse d'éloignement est proportionnelle à la distance de la galaxie. Cela signifie qu'auparavant ces galaxies étaient plus proches les unes des autres. Le calcul indique qu'il y a environ quinze milliards d'années, ces galaxies étaient à la même place dans un univers de densité infinie : c'est la théorie du big bang de Gamow et Lemaître, donnant une date d'origine à l'Univers.

Dans le cône d'espace-temps (voir chapitre 14), cet événement est le seul qui n'a pas de passé : si éventuellement des événements antérieurs avaient existé, ils ne pourraient affecter ce qui arrive dans notre temps.

Astronomie au XXe siècle et métaphysique

S. Hawking (bibliographie [21]) souligne les conséquences métaphysiques d'une découverte comme le big bang ou celles des recherches sur la fameuse « théorie unifiée » entre physique relativiste et physique quantique. Comme souvent, ce ne sont pas des réponses qui sont apportées, mais plutôt d'autres questions qui se posent :

- « Que fit Dieu avant de créer l'Univers ? » (question traditionnellement attribuée à saint Augustin[1]).
- « Un Univers en expansion n'exclut pas la possibilité d'un créateur mais il définit l'instant où ce dernier aurait pu accomplir son œuvre ! »

Parmi les religions, l'Église catholique, notamment, a vu dans le big bang une confirmation de la notion de Création ; à l'inverse, le fait que le big bang est daté impose une contrainte *a posteriori* au Créateur, qui est la date de son acte.

- « La théorie unifiée est-elle si contraignante qu'elle assure sa propre existence ? Ou a-t-elle besoin d'un créateur et si oui, celui-ci a-t-il d'autres effets sur l'Univers ? Et ce créateur, qui l'a créé, lui ? »

1. La réponse non moins traditionnelle est « Il préparait l'enfer pour ceux qui se posent de telles questions » ; plus sérieusement mais pas plus scientifiquement, la réponse ecclésiaste est que le temps a été créé par Dieu en même temps que l'Univers, et donc que la notion « avant l'Univers » n'a pas de sens.

Avec la première question, on caresse le rêve hégémonique de la science, celle d'une théorie unifiée – par exemple entre la physique quantique et la mécanique relativiste –, et qui de surcroît se suffirait à elle-même : pour reprendre les termes de Gödel et du chapitre 9, la théorie unifiée serait complète, elle démontrerait sa propre « genèse »...
La troisième question (« Et qui l'a créé, lui ? ») est un véritable défi lancé à la science, à la métaphysique et à la religion.

Des corps obscurs aux trous noirs

L'astronome anglais John Michell est un pionnier, puisqu'il fait remarquer dès 1783 qu' « une étoile suffisamment massive et compacte aurait un champ gravitationnel si intense que la lumière ne pourrait s'en échapper : tout rayon de lumière émis à la surface de l'étoile serait retenu par l'attraction gravitationnelle avant qu'il ait pu aller très loin ». Pierre-Simon de Laplace reprend cette même idée dans son *Exposition du système du monde* en 1796 : « Il existe donc dans les espaces célestes, des corps obscurs aussi considérables, et peut-être en aussi grand nombre que les étoiles. »

La modélisation du corps obscur par Michell est très simple et intégralement liée à la théorie corpusculaire de la lumière (voir chapitre 13) : pour qu'un corpuscule lumineux de masse m puisse échapper à l'attraction d'un astre de masse M et de rayon R, ou être émis par un tel astre, il faut que l'énergie cinétique du corpuscule de masse m dans le rayon lumineux soit supérieure à l'énergie potentielle d'attraction de ce corpuscule par l'astre :

$$\frac{1}{2}mc^2 > G\frac{mM}{R}\text{ , soit }\frac{M}{R} < \frac{c^2}{2G}\text{ .}$$

Cela signifie qu'un astre d'une certaine densité, mesurée par le rapport entre son rayon et sa masse $\frac{M}{R}$ (plus la masse est grande et le rayon petit, plus l'astre est dense), retiendra la lumière et se comportera comme un « corps obscur »[1], défini par $\frac{M}{R} > \frac{c^2}{2G}$.

La relativité générale et la mécanique ondulatoire (caractère ambivalent onde-corpuscule de la lumière) font réétudier cette hypothèse longtemps après, comme on l'a vu au chapitre 13.

Pour émettre de la lumière, une étoile dépense une certaine quantité d'énergie ; quand elle a épuisé ses réserves d'énergie, le rayonnement lumineux n'est plus assez intense pour combattre la gravitation, l'étoile s'effondre sous sa propre gravité et devient un trou noir.

Un rayon lumineux passant à côté d'une étoile voit sa courbe déviée vers elle : si l'étoile est en train de devenir un trou noir, plus elle s'effondre, plus son champ de gravité courbe le rayon tiers jusqu'à le piéger complètement. Le cône de lumière de tout événement externe passant par cette étoile est happé par elle. La lumière, interne à l'étoile ou provenant d'une étoile tierce, ne peut s'échapper, ni rien d'autre non plus.

Observations sur l'espace

• La relativité générale est qualifiée par les astrophysiciens et cosmologues actuels de « boîte à outils », dans laquelle ils puisent sans cesse.

Ne serait-ce que pour la correction des erreurs d'observation dues à la rotation terrestre : depuis les années 1970 la précision des télescopes nécessite de corriger des effets d'aberration en $\frac{v^2}{c^2}$ (soit 10^{-8}),

---

1. On définit le « rayon de Schwarzschild » caractéristique d'un corps céleste de masse M la grandeur $R_s = 2 \times \frac{GM}{c^2}$. Le rayon effectif du Soleil est 700 000 km, tandis que son rayon de Schwarzschild est de 3 km. Pour être un trou noir, le Soleil devrait ainsi être 233 000 fois plus dense qu'il n'est.

effets relativistes, alors que depuis Bradley (voir chapitre 13), on pouvait se contenter de corriger, pour une observation correcte, les effets en $\frac{v}{c}$ (soit 10^{-4}).

• La puissance des télescopes actuels nous conduit à concevoir un peu plus concrètement ce qu'est l'espace-temps. Ainsi, la galaxie la plus lointaine détectée à ce jour l'a été par une équipe de l'ESO (Observatoire du Sud Européen à Pise) en février 2004 ; il s'agit d'Abel 1835IR1916, à 13 320 milliards d'années-lumière. Cette galaxie a donc été observée en 2004 telle qu'elle était il y a 13,3 milliards d'années, c'est-à-dire quand l'Univers n'avait que 470 millions d'années.

Par rapport au Soleil que nous voyons tel qu'il était huit minutes auparavant, ou à l'étoile la plus proche - Proxima du Centaure - que nous voyons telle qu'elle était quatre ans auparavant, l'observation d'Abel1835 nous oblige et nous aide à *ré-accommoder* notre vision de l'espace-temps.

Une autre conséquence de l'observation astronomique qui nous amène à réfléchir est la théorie du chaos dans l'Univers. Nous y reviendrons au chapitre 21. Notons à ce stade deux curiosités de l'observation astronomique :

• Vénus est la seule planète du système solaire à tourner sur elle-même dans le sens contraire des autres planètes ; si l'on prend comme Nord commun la direction de l'étoile polaire, sur Vénus le Soleil se lève à l'ouest et se couche à l'est. On ne peut exclure que la planète se soit « retournée » et qu'elle le fasse de temps à autre.

• Mercure a une trajectoire chaotique[1], son orbite peut parfois dépasser celle de Vénus sa planète voisine ; cela signifie qu'un risque de collision entre Mercure et Vénus existe !

---

1. Dans la lignée des travaux de H. Poincaré sur le « problème des trois corps » en astronomie, des vérifications ont été faites montrant qu'en effet l'excentricité de la trajectoire elliptique de Mercure est la plus forte de toutes les planètes du système solaire, et qu'elle varie fortement depuis l'origine des temps (voir chapitre 21 sur la théorie du chaos en astronomie).

CHAPITRE 17

De la main de Mme Röntgen à la fission nucléaire

« Pour l'amour du ciel, ne parlez pas de transmutation. On va vouloir nos têtes en nous traitant d'alchimistes ».
William RUTHERFORD, 1901

L'interaction entre la matière et la lumière, c'est-à-dire la réaction de certains corps lorsqu'ils sont soumis à un rayonnement électromagnétique, devient une source de recherches très fructueuse à partir de 1860. Avec l'étude des phénomènes de fluorescence se développent deux révolutions scientifiques d'importance entre 1895 et 1905, menées par deux types de scientifiques différents.

• Par des physiciens expérimentaux et chimistes (l'Allemand Röntgen, prix Nobel de physique 1901, les Français Henri Becquerel, Pierre et Marie Curie, prix Nobel de physique 1903), la découverte des rayons X et de la radioactivité. Elle entraîne la découverte progressive de l'atome et de ses constituants par l'école britannique de physique expérimentale et de chimie (Thomson prix Nobel de physique 1904, Rutherford prix Nobel de chimie 1908, Chadwick prix Nobel de physique 1935 pour la découverte du neutron).

• Par des physiciens théoriciens, l'hypothèse quantique d'interaction entre la matière et le rayonnement (Planck 1900), et l'hypothèse des quanta lumineux (Einstein 1905), qui donnent naissance à la mécanique quantique.

L'artefact d'une fluorescence inattendue

C'est Edmond Becquerel (1820-1891), le père de Henri Becquerel (1852-1908), qui le premier met en évidence par les méthodes de spectroscopie de Fraunhofer (voir chapitre 12) les rayons ultraviolets de la lumière solaire, hors spectre de la lumière visible (voir figure 17.1).

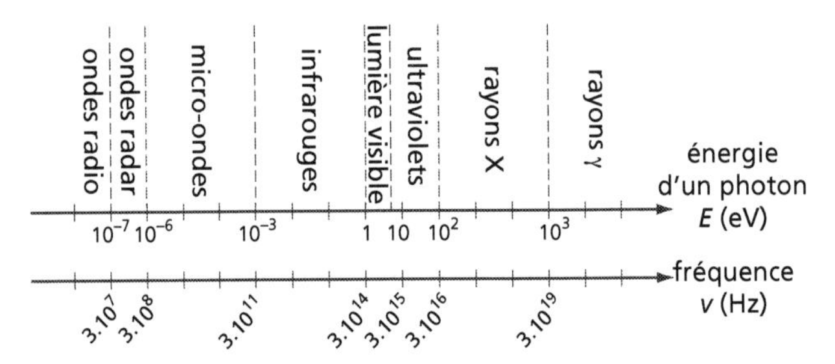

Figure 17.1 : Spectre de rayonnement électromagnétique, des ondes radio aux rayons γ. La lumière visible occupe une petite partie du spectre.

Quand un rayonnement ultraviolet atteint certains matériaux, se produit le phénomène de fluorescence : absorbant une partie de l'énergie ultraviolette, le matériau émet un rayonnement d'énergie inférieure, qui se trouve alors être visible (voir figure 17.1).

La fluorescence se produit à température ordinaire (on parle de « lumière froide »). Les gilets de sécurité dits « jaune fluo », qui contiennent des matériaux fluorescents, renvoient une lumière plus forte que les mêmes gilets non fluorescents, car ils absorbent une énergie ultraviolette qu'ils renvoient dans le jaune visible : la fluorescence est, avec les coups de soleil, une manifestation de la partie non visible de la lumière solaire, les ultraviolets.

La fluorescence était à l'époque d'un grand intérêt pour les physiciens puisqu'elle permettait de mettre en évidence, de manière entièrement expérimentale, un phénomène non décelable, le rayonnement ultraviolet : définie comme une émission de lumière dans le spectre visible à partir d'une lumière incidente de plus forte énergie et non visible, c'était la seule caractérisation possible de la partie ultraviolette du spectre solaire.

C'est le même type de caractérisation d'un nouveau concept naturel par une de ses manifestations que fait Wilhelm Röntgen (1845-1923). Il travaillait de longue date, comme de nombreux physiciens, sur les rayons cathodiques dans des tubes à gaz rares[1].

En novembre 1895, menant ses expériences habituelles avec son tube entouré de carton noir pour le protéger de la lumière, il constate qu'un écran enrobé de matériau à propriétés fluorescentes (le platinocyanure de baryum), *simple outil situé à quelques mètres de son tube*[2], devient lumineux à *chaque* décharge d'électrons dans le tube cathodique. Quelque chose s'échappe donc du tube, traverse le carton noir, se propage dans l'air et pas seulement dans le vide du tube : la fluorescence ainsi stimulée persiste s'il éloigne l'écran du tube, ou s'il interpose un livre épais entre le tube et l'écran, voire la main de sa femme...

Jusqu'alors, on ne connaissait la fluorescence qu'à partir d'une lumière incidente ultraviolette, certes non visible mais qu'on savait partie intégrante du spectre de la lumière solaire. Le fait d'observer la fluorescence stimulée à chaque décharge du tube (et donc sans rapport avec la lumière du jour), de manière plus puissante que pour la fluorescence « classique », permet alors à Röntgen d'émettre l'hypothèse que cette fluorescence est causée par un rayonnement incident différent : un rayonnement plus puissant, non présent dans la lumière solaire, de fréquence supérieure à celle des rayons ultraviolets, qu'il baptise « rayons X » (du nom de l'inconnue en mathématiques).

1. Ces tubes sont les ancêtres des « tubes cathodiques » de nos téléviseurs. Le terme « tube cathodique » s'est pérennisé, alors que le terme « rayon cathodique » s'est effacé au profit du « faisceau d'électrons » (à l'époque ce dernier terme n'existait pas, on n'avait pas encore « inventé » l'électron !).

2. Comme dans ces énigmes où pour trouver la solution il faut savoir sortir du cadre qui paraît imposé, la découverte ici se situe *hors* du tube cathodique, et non *dans* le tube qui était l'objet de l'expérimentation.

Röntgen va jusqu'au bout de cette caractérisation expérimentale.

De la même manière qu'un objet paraît rouge (le jour) parce qu'il absorbe toutes les fréquences du spectre de la lumière solaire sauf celle du rouge qu'il réfléchit, Röntgen constate que les corps denses et durs (de poids atomique élevé) absorbent les rayons X, tandis que les corps non denses et mous (de poids atomique moins élevé) laissent passer les rayons X (c'est le cas du livre interposé entre le tube et l'écran).

C'est ainsi que sur la plaque photographique, les os, matière dure, arrêtent les rayons X, par opposition aux « corps mous » (chair, muscles) qui sont transparents aux rayons X et les laissent passer. Le corps humain soumis aux rayons X laisse apparaître l'ombre des os sur une plaque photographique : c'est la naissance de la radiographie aux rayons X, qui a des applications médicales dès le mois suivant la découverte de Röntgen. Elle lui vaut le premier prix Nobel créé en 1901.

Un autre artefact, mais ce n'est plus de la fluorescence !

Nous sommes quelques mois plus tard, en France, avec Henri Becquerel. À la différence de Röntgen qui travaillait sur les faisceaux d'électrons dans les tubes à gaz rares, Becquerel était, comme son grand-père et son père, spécialiste des matériaux fluorescents. À la suite de la découverte de Röntgen, Henri Poincaré incite Henri Becquerel à reprendre la recherche sur ces matériaux, qu'il avait délaissée au profit de l'enseignement.

La première idée de Becquerel était de savoir si des matériaux fluorescents pouvaient eux-mêmes émettre des rayons X pendant leur fluorescence. Après plusieurs échecs avec des matériaux divers, il tente l'expérience avec des sels d'uranium, matériau fortement fluorescent, mais de peu d'utilité : l'uranium avait été découvert un siècle auparavant et occupait depuis 1869, date de sa publication, la 92e et dernière place du tableau de Mendéléiev puisque c'est le plus lourd des éléments chimiques.

Rien dans les résultats de Röntgen n'incitait à s'intéresser à ce matériau... c'était simplement un des plus fluorescents que connaissait Becquerel. De plus, c'est grâce à un artefact que se fit la découverte : un jour sans soleil, donc sans fluorescence possible, Becquerel range ses sels d'uranium et sa plaque photographique dans un tiroir. En l'ouvrant le lendemain, il s'aperçoit que la plaque photographique est fortement impressionnée... par une radiation qui est donc indépendante de la lumière du Soleil et n'a rien à voir avec la fluorescence (qui ne peut être que stimulée par un rayonnement), mais qui dépend du matériau lui-même !

C'est immédiatement confirmé par le fait que des composés uraniques *non fluorescents*, dont le minerai lui-même, émettent la même radiation.

De la même manière que les rayons X restent longtemps inexpliqués, même s'ils furent d'application immédiate en médecine (c'est le physicien allemand Max von Laue, prix Nobel de physique 1914, qui met en évidence en 1913 la nature électromagnétique des rayons X en les faisant diffracter sur un bloc de cristal), les rayons de Becquerel conservent ce nom et restent totalement inexpliqués.

Marie Curie fait sa thèse sur ces rayons de Becquerel et cherche à les retrouver dans d'autres corps ; elle travaille non sur des sels uraniques comme Becquerel, mais sur la pechblende, minerai naturel d'uranium. Elle découvre ainsi de nouveaux éléments chimiques, émetteurs eux-mêmes et de manière plus puissante que l'uranium, qu'elle nomme le radium[1] et le polonium : ce ne sont autres que des éléments naturels issus de la chaîne de transformation de l'uranium, mais plus radioactifs que lui. C'est donc toute une « filière radioactive » naturelle correspondant à la transmutation de l'uranium qui est ainsi mise en évidence.

1. Il faut 2,8 tonnes d'uranium pour trouver 1 gramme de radium.

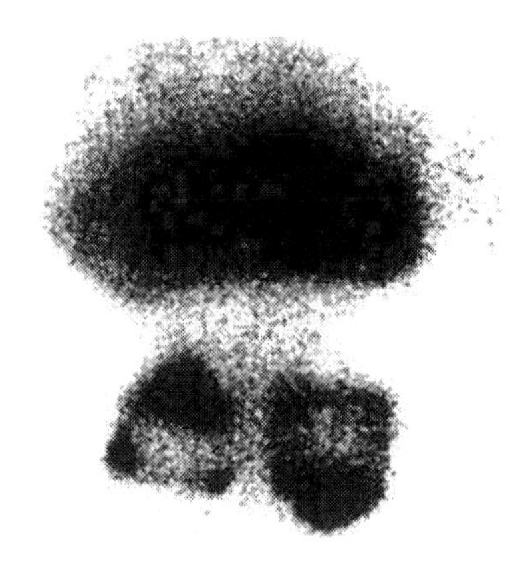

Figure 17.2 : Impression de la croix de Malte (en bas) sur la plaque photographique de Becquerel correspondant à l'émission de rayonnement par des sels uraniques. (Cliché Bibliothèque de l'École polytechnique.)

Les trois types de radioactivité naturelle

• La radioactivité α (radioactivité alpha) correspond à l'émission d'un ensemble de deux protons et deux neutrons, identifiés à un noyau d'hélium.

À titre d'exemple, on peut citer deux réactions de radioactivité α :

$$^{238}_{92}\mathrm{U} \dashrightarrow {}^{234}_{90}\mathrm{Th} + {}^{4}_{2}\mathrm{He} \quad (1)$$

Cette réaction est la première de la chaîne radioactive de ^{238}U, dit Uranium 238, isotope[1] naturel de l'uranium (voir figure 17.3).

$$^{226}_{88}\mathrm{Ra} \dashrightarrow {}^{222}_{86}\mathrm{Rn} + {}^{4}_{2}\mathrm{He}$$

1. On appelle isotope d'un élément naturel un élément – qui peut être naturel lui aussi – possédant le même nombre de protons et d'électrons, mais pas le même nombre de neutrons. Il s'agit toujours du même élément de base, ainsi ^{235}U est un isotope de ^{238}U. La masse atomique est définie dans un atome comme la somme des neutrons et protons, seuls éléments pondéreux.

Cette réaction est celle qui est mise en évidence par Marie Curie : à partir de l'élément radium naturel (Ra, 88 protons, 138 neutrons, masse atomique 226) contenu dans la pechblende, minerai d'uranium, on obtient par radioactivité α le Radon 222 (Rn, 86 protons, 136 neutrons, masse atomique 222).

Les rayons α sont peu puissants et vite absorbés, aussi leurs applications concrètes sont limitées ; mais ils ont leur importance dans la chaîne de la radioactivité naturelle (*cf.* figure 17.3 où beaucoup de désintégrations sont des désintégrations α), et ils ont permis d'avancer dans la découverte de la radioactivité et des autres rayons β et γ.

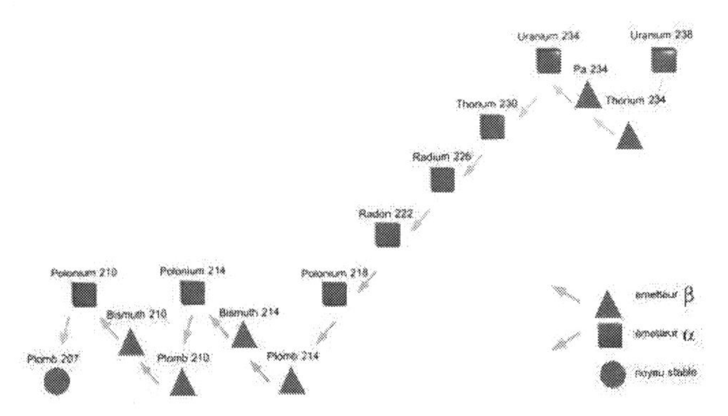

Figure 17.3 : Chaîne de transmutation de l'Uranium 238, jusqu'à l'obtention d'un noyau stable le Plomb 207. Il existe trois familles d'éléments radioactifs naturels, toutes aboutissant au Plomb stable : la famille de l'Uranium 238/Radium (ici représentée), la famille du Thorium 232, la famille de l'Uranium 235/Actinium. (Illustration www.mariecurie.science.gouv.fr)

• La radioactivité β (radioactivité béta) correspond à la transformation d'un élément radioactif en un autre élément suivant la réaction (gain d'un proton et perte d'un neutron) :

$${}^{n+p}_{p}A \text{-------->} {}^{n+p}_{p+1}B + e^- + \nu_e .$$

C'est la transformation d'un neutron en proton avec émission d'un électron et d'un antineutrino ; l'émission de l'électron permet la conservation de la charge électrique dans la réaction.

À titre d'exemple sur la chaîne de transmutation de l'Uranium 238, la réaction suivant la réaction α décrite en *(1)* ci-dessus est une réaction de radioactivité β (voir figure 17.3, le Thorium 234 est émetteur β vers le Protactinium Pa 234) :

$$^{234}_{90}\text{Th} \text{-------->} ^{234}_{91}\text{Pa} + e^{-} + v_e$$

• La radioactivité γ est, comme les rayons X, un rayonnement électromagnétique. Elle ne correspond pas à une transmutation d'éléments comme les rayonnements α ou β, mais à l'émission de photons de haute énergie par un élément chimique qui reste le même.

Ce rayonnement a souvent lieu après un rayonnement α ou β. Ainsi pour l'élément radioactif Cobalt a lieu une première réaction β :

$$^{60}_{27}\text{Co} \text{-------->} ^{60}_{28}\text{Ni} + e^{-} + v_e \qquad (2)$$

Puis le Nickel reprend un état stable en évacuant un trop-plein d'énergie sous forme de rayonnement γ.

Dans le spectre électromagnétique (voir figure 17.1), le rayon γ est de fréquence et d'énergie plus élevées encore que le rayon X. C'est le rayonnement radioactif de loin le plus pénétrant et le plus dangereux (par exemple dans un accident nucléaire).

À titre d'exemple d'application de la réaction *(2)* ci-dessus en médecine nucléaire, la « bombe au cobalt » émet des rayons γ visant à détruire une tumeur cancéreuse. Le rayon γ est aussi utilisé dans la diagnostic des cancers par la technologie du scintigraphe : on administre au patient un élément radioactif γ qui se fixe sur l'organe à étudier ; le rayon γ qui émane de cet élément est assez puissant pour sortir du corps et donc permettre l'observation de l'organe concerné par scintigraphie.

Par ailleurs, les rayons γ sont une source d'observation précieuse des galaxies dans l'Univers. Ainsi, le 27 décembre 2004, a eu lieu un « tsunami galactique », à savoir une bouffée intense de rayons γ provenant de l'étoile à neutrons SGR 1806-20 située à 500 000 années-lumière. En deux dixièmes de seconde, cette étoile a émis (en intensité radiante à la source, à une distance heureusement pour nous fort éloignée) autant d'énergie que le Soleil en 250 000 ans.

La fission nucléaire

De nos jours, le modèle de l'atome et de ses constituants (électron, proton, neutron) est bien connu, enseigné dès le secondaire en cours de chimie. Mais cela n'a pas été un long fleuve tranquille, c'est sur une quarantaine d'années que ce modèle s'est élaboré : découverte de l'électron par Thomson en 1897, mise en évidence d'un noyau central par Rutherford en 1911, modèle de l'atome de Bohr en 1913 intégrant les résultats de la physique quantique, découverte du proton par Rutherford en 1919, découverte du neutron par Chadwick en 1932.

Cette dernière découverte a d'importantes conséquences. Le neutron est une particule non chargée électriquement, facilement capturée par le noyau ; cette propriété conduit à la découverte du phénomène de fission nucléaire en 1938 par Otto Hahn.

La fission est la séparation par bombardement de neutrons d'un élément fissile (Uranium 235[1]) en deux éléments de masse atomique nettement inférieure ; un exemple de réaction de fission est le suivant :

$$^{235}_{92}\mathrm{U} + ^{1}_{0}\mathrm{n} \text{-------->} ^{140}_{54}\mathrm{Xe} + ^{94}_{38}\mathrm{Sr} + 2 \times ^{1}_{0}\mathrm{n} \qquad (3)$$

La fission (en l'occurrence d'un atome d'uranium en un atome de strontium Sr et un atome de xénon Xe) se distingue de la radioactivité car la cause – le bombardement par des neutrons – en est exogène à l'atome, alors que la radioactivité est une mutation endogène à l'atome. Le résultat en est d'ailleurs fondamentalement différent, car ce n'est pas un élément voisin qu'on obtient (comme pour la radioactivité), mais deux éléments beaucoup plus légers.

1. L'Uranium 235 est le seul élément fissile naturel ; on le trouve à 0,7 % dans le minerai d'uranium, contre 99,3 % d'Uranium 238.

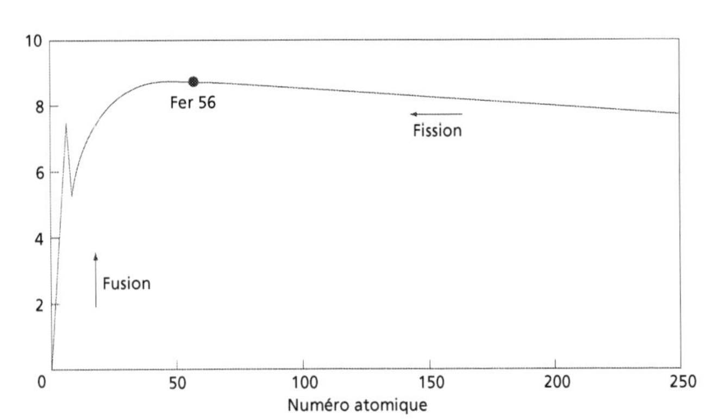

Figure 17.4 : Valeur de l'énergie de liaison par nucléon en fonction de la masse atomique de l'élément. Le noyau le plus stable est le Fe_{56} ; au-dessus de cette masse atomique du Fe_{56}, les noyaux plus lourds ont tendance à se fissionner en libérant de l'énergie (réaction *(3)* ci-dessus) ; les noyaux plus légers ont tendance à fusionner entre eux (ce qu'on appelle la fusion nucléaire). L'énergie de liaison par nucléon dans l'atome d'uranium est d'environ 7,4 MeV (méga electron-volts).

Le bilan énergétique de la réaction *(3)* ci-dessus s'analyse comme suit :

• L'énergie de liaison des 235 nucléons de l'Uranium 235 est 235 × 7,4 MeV = 1 739 MeV ; cela signifie que la rupture du noyau d'uranium dans la réaction de fission *(3)* ci-dessus nécessite la fourniture d'une énergie de 1 739 MeV.

• La recomposition dans la partie droite de la réaction *(3)* d'un noyau de Xenon 140 et d'un noyau de Strontium 94 libère une énergie de 140 × 8,2 + 94 × 8,4 = 1 937,6 MeV.

• Cette libération d'énergie est une conséquence expérimentale directe de la formule $E = mc^2$. Les 234 nucléons isolés ont au total une masse m, les deux noyaux de Xenon 140 et de Strontium 94 ont au total une masse $m' < m$. Un noyau est plus stable que ses composants, sa masse et son énergie propre sont plus faibles : la constitution de ces noyaux libère une énergie $(m' - m) \times c^2$.

Rompre un noyau se traduit par une absorption d'énergie et une augmentation de masse (membre de gauche de la réaction *(3)*) ; constituer un noyau, état plus stable, se traduit par une libération d'énergie et une diminution de masse[1].

• Au total, le bilan énergétique de la réaction de fission nucléaire *(3)* est positif, égal à 1 937,6 – 1 739 = 198,6 MeV soit environ 200 MeV par réaction de fission.

La production de neutrons dans la réaction de fission (dans l'exemple ci-dessus, 2 neutrons sont émis) permet de bombarder d'autres atomes d'uranium , et ainsi de suite : c'est la « réaction en chaîne ». L'énergie dégagée par une réaction (un atome) est ainsi multipliée par le nombre important de réactions, permettant le dégagement d'une énergie intense (bombe atomique, énergie nucléaire). La fission d'un kilogramme d'uranium libère une énergie environ 3 millions de fois supérieure à la combustion d'un kilogramme de charbon.

---

1. Imaginons en cinétique classique l'analogie de la bille dans un bol : au fond du bol, c'est l'état d'équilibre, l'état stable (à comparer au noyau) ; remonter la bille à la main et la maintenir vers le bord du bol (état à comparer à celui des nucléons isolés) nécessite une certaine énergie ; relâcher la bille qui redescend vers le fond du bol libère une certaine énergie.

CHAPITRE 18

La discontinuité quantique

Nous venons de voir comment une première interaction entre matière et lumière, la fluorescence, capacité de certains minéraux à émettre de la lumière à fréquence différente de celle reçue, conduisit à la découverte des rayons X et de la radioactivité.

L'étude d'autres types d'interaction entre la matière et la lumière à laquelle se livrèrent les physiciens expérimentaux à partir des années 1860 achoppa sur deux contradictions importantes avec la théorie, remettant en cause la mécanique classique au niveau microscopique. Ces deux phénomènes d'interaction matière-lumière, en apparence anodins, voire anecdotiques[1], sont :

• le « rayonnement du corps noir », capacité de la matière[2] à émettre de la lumière lorsqu'elle est chauffée ; en première approche, c'est le fer qui devient rouge, puis blanc (un fer « chauffé à blanc »)

---

1. Ce qui faisait dire au grand scientifique Lord Kelvin que la Physique avait en 1865 terminé de décrire le monde, avec d'une part la mécanique newtonienne pour les phénomènes corpusculaires, et l'électromagnétisme de Maxwell pour les phénomènes ondulatoires ; l'année 1905 montrera qu'il n'aurait pas dû se livrer à cette dichotomie !

2. Les caméras nocturnes détectrices d'infrarouges utilisent cette même propriété sur les corps humains (qui se comportent en l'occurrence comme des corps noirs) : étant à une température différente de leur environnement, les êtres humains émettent la nuit un rayonnement infrarouge différent, ce qui permet de les détecter.

lorsqu'on élève sa température ; de manière plus fine, le « corps noir » est un dispositif expérimental, sorte de cavité où se déroulent ces phénomènes d'incandescence du métal, cavité percée d'un petit trou à travers lequel on observe la lumière émise ;

• l'effet photoélectrique, capacité de certains métaux à émettre des électrons (et donc de la matière) lorsqu'ils reçoivent de la lumière ultraviolette, plus énergétique. L'énergie lumineuse que le métal reçoit provoque une agitation interne : il y a échange d'énergie entre le rayonnement incident et les atomes du métal ; les particules « plus libres » de l'atome, à savoir les électrons, acquièrent cette énergie et se détachent de l'atome. Le métal émet des électrons.

L'effet photoélectrique
La catastrophe ultraviolette

On connaît – ou on connaissait – les « cellules photoélectriques », outil du photographe pour régler la sensibilité de son appareil : mesurant l'intensité lumineuse, elles convertissent le flux lumineux reçu en une émission d'électrons mesurée sur un compteur.

On connaît aussi les cellules ou piles photovoltaïques, plus connues sous le nom de « panneaux solaires », qui transforment l'énergie lumineuse solaire en une tension électrique.

C'est Heinrich Hertz qui découvrit en 1887 l'effet photoélectrique ; son dispositif expérimental était une plaque de zinc chargée positivement et qui, soumise à la lumière ultraviolette, perdait sa charge par émission d'électrons.

• Or, de 1887 à 1900, l'observation bute sur un détail bien précis, à savoir qu'il n'y a aucun effet photoélectrique en dessous d'une certaine fréquence de la lumière incidente, et ce quelle que soit l'énergie de la lumière incidente.

De la même manière, pour le corps noir, la théorie en vigueur à l'époque, fondée sur les développements les plus récents de la thermodynamique et sur les équations de Maxwell, était la formule de Rayleigh-Jeans sur la densité d'énergie lumineuse émise $\rho(\nu, T) = \frac{8\pi k T \nu^2}{c^3}$, où k est la constante de Boltzmann.

Or l'expérience donne une courbe de la forme suivante :

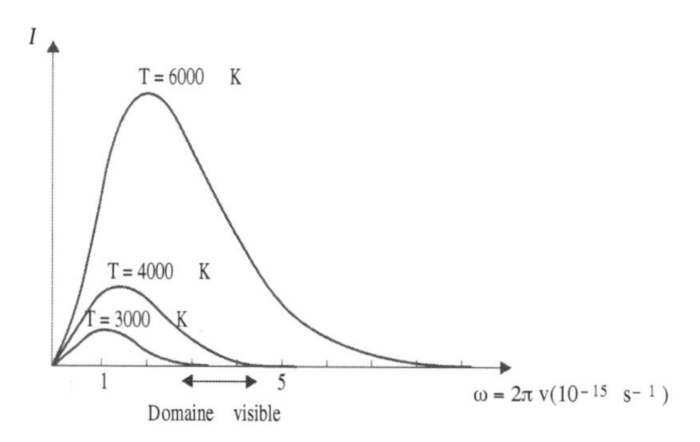

Figure 18.1 : Énergie lumineuse de rayonnement du corps noir, à diverses températures T, en fonction de la pulsation lumineuse. La formule de Rayleigh-Jeans donne une bonne approximation aux basses fréquences uniquement.

• Là aussi la théorie bute sur l'expérience, à savoir que la formule de Rayleigh prédit une énergie infinie quand la fréquence augmente, ce qui est contraire au bon sens et à l'expérience. Par ailleurs, la théorie n'explique pas le maximum de la courbe ni le comportement du corps noir aux hautes fréquences comme l'ultraviolet : c'est la « catastrophe ultraviolette ».

Les quanta d'échange de Planck, puis les quanta de lumière d'Einstein

Planck émet en décembre 1900 l'idée révolutionnaire suivante : l'émission d'énergie lumineuse par le corps noir se fait au niveau de *chaque atome* et de manière *discontinue*, en fonction de certaines fréquences de résonance du corps noir, à partir d'une valeur exprimée par la formule $E = h\nu$ où h est la « constante de Planck » ($h = 6{,}626 \times 10^{-34}$ joules × s).

Il aboutit pour l'énergie rayonnée à une formule en $\dfrac{\nu^3}{e^{\frac{h\nu}{kT}} - 1}$ qui explique miraculeusement la forme de la courbe 17.1 ci-dessus. Mais Planck a du mal à se convaincre de cette entorse à la continuité physique : il l'applique uniquement à l'interaction matière-lumière.

Einstein va plus loin dans son fameux article de 1905 « Un point de vue heuristique concernant la production et la transformation de la lumière[1] ». Il interprète la relation $E = h\nu$ comme étant non pas liée aux processus d'absorption et d'émission, mais *intrinsèque* au rayonnement lumineux : ce ne sont pas seulement les échanges d'énergie qui sont quantifiés, mais la lumière elle-même.

Il explique l'effet photoélectrique comme un échange d'énergie entre un quantum d'énergie lumineuse $h\nu$ et un électron. Si $h\nu > E_0$ (E_0 étant l'énergie d'extraction d'un électron du métal de la plaque, c'est-à-dire l'énergie de liaison entre l'électron et son atome), l'électron est émis par la plaque avec une énergie cinétique E_c :

$$E_c = h\nu - E_0 \qquad (1)$$

Examinons à présent notre effet photoélectrique à la lumière – si l'on peut dire – de ces hypothèses. Les observations qui paraissaient inexplicables trouvent leur signification :

• Quand $\nu < \nu_0 = \dfrac{E_0}{h}$, il n'y a pas d'effet photoélectrique : il faut en effet que le rayonnement incident ait une fréquence au moins égale à ν_0.

• Quand $\nu \geq \nu_0$, l'effet est observé de manière instantanée, même à intensité de rayonnement incident très minime ; il suffit en effet d'un seul échange d'énergie à $E_0 = h\nu_0$ pour qu'un électron soit émis.

1. À signaler que c'est cet article (connu comme la découverte de l'effet photoélectrique) qui vaudra à Einstein le prix Nobel de physique seize ans plus tard en 1921.

• À fréquence incidente ν donnée, même si on augmente l'intensité du rayonnement lumineux incident, la vitesse d'émission des électrons reste la même, conformément à la formule *(1)*. En revanche, le nombre d'électrons émis augmente : il y a plus d'échanges unitaires d'énergie entre photons et électrons.

• Si la fréquence incidente ν augmente, la vitesse des électrons émis augmente, conformément à la formule *(1)*, puisque $E_c = \frac{1}{2}mV^2$, où V est la vitesse des électrons.

On voit là que la physique classique – et en premier lieu les équations de Maxwell – est mise en défaut par ces échanges quantiques d'énergie au niveau microscopique.

La physique classique, et en particulier la théorie ondulatoire de la lumière en harmonie avec les équations de Maxwell nous indiquent que ces équations, système différentiel classique en mathématique, admettent des solutions continues pour le champ électromagnétique et donc l'énergie :

• Plus l'intensité de rayonnement incident augmente, plus l'énergie cinétique et donc la vitesse des électrons aurait dû augmenter : il y a décorrélation entre énergie incidente du rayonnement et énergie unitaire émise, ce qui rompt l'idée de continuité.

• L'effet photoélectrique aurait dû être observé à toute fréquence, là aussi il y a discontinuité : pas d'effet si $\nu < \nu_0$, effet si $\nu \geq \nu_0$.

Cette discontinuité est bien évidemment liée au quantum d'énergie $E = h\nu$.

• On ne peut plus considérer les échanges d'énergie comme régis par un spectre continu : ils ne peuvent se faire qu'à multiples entiers $h\nu$, $2h\nu$, $3h\nu$... Même si la constante de Planck h est très petite, et donc aussi le quantum d'énergie $h\nu$, ce quantum existe.

• Les quanta $h\nu$ sont constitutifs de la lumière elle-même, ils sont assimilables à des corpuscules unitaires sans masse, qui seront baptisés « photons » en 1926.

C'est la mise en évidence expérimentale de la nature corpusculaire de la lumière, complémentaire de sa nature ondulatoire qu'on connaissait depuis l'expérience des fentes de Young.

Niels Bohr et la quantification de la matière

À la suite de la découverte du noyau par Rutherford en 1910, le physicien danois Niels Bohr invente le premier modèle cohérent de l'atome d'hydrogène. Il formule l'idée que l'électron en rotation autour de l'atome ne peut occuper que certaines orbites discrètes, le passage de l'électron d'une orbite à l'autre se faisant par absorption ou émission d'un quantum d'énergie caractéristique de l'atome, et l'électron ne pouvant descendre en dessous d'une certaine orbite.

La mécanique newtonienne adaptée au modèle de Rutherford (un noyau central concentrant la masse et des électrons légers en rotation autour du noyau) était prise en défaut par le fait que l'électron, par suite de désexcitations successives, pouvait s'effondrer sur le noyau.

Bohr, comme Einstein pour la lumière, sort du modèle continu de la mécanique classique et résout cette contradiction : la discontinuité lumineuse (Planck 1900 et Einstein 1905), appliquée par analogie avec la matière, implique que l'électron ne peut pas aller partout mais seulement sur des orbites définies et que son mouvement se fait de manière discontinue (« saut quantique »), sur un certain nombre de positions possibles avec des probabilités associées.

Dès l'année suivante, l'expérience de James Franck et Gustav Hertz[1] vient confirmer de manière éclatante le modèle de l'atome de Bohr.

1. Ils obtiendront tous deux le prix Nobel de physique en 1925 pour cela. Gustav Hertz (1887-1975) était le neveu d'Heinrich Hertz (1857-1894), qui a découvert l'effet photoélectrique et donné son nom aux ondes hertziennes.

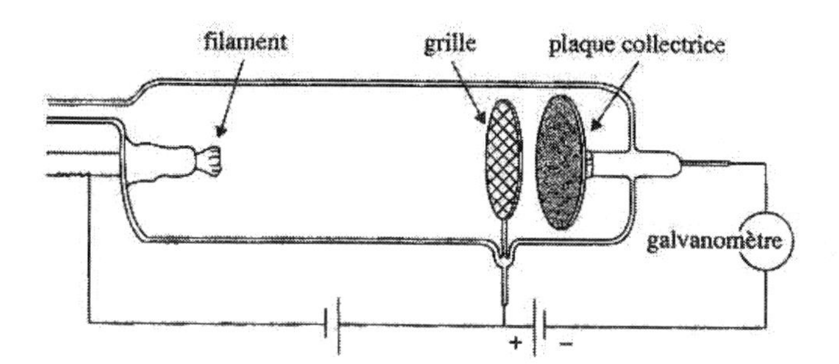

Figure 18.2 : Dispositif expérimental de Franck et Hertz (1913).

En bombardant une vapeur d'atomes de mercure avec des électrons accélérés (et donc dotés d'une certaine énergie), ils s'aperçoivent que, en appelant E l'énergie des électrons incidents :

• si E est inférieur à une certaine énergie E_0, il n'y a pas d'interaction entre les électrons et les atomes de mercure, les électrons traversent le nuage (collisions élastiques entre électrons et atomes, pas d'échange d'énergie) et sont récupérés avec la même énergie E sur la plaque collectrice ;

• si $E = E_0$, il y a émission par l'atome de mercure d'une raie lumineuse correspondant exactement à cette énergie E_0 ; les électrons ne sont plus récupérés sur la plaque collectrice car ils perdent toute leur énergie E_0 dans la collision, cette fois-ci inélastique ;

• si $E > E_0$, l'atome de mercure émet cette même raie caractéristique à E_0, les électrons sont récupérés sur la plaque collectrice avec l'énergie $E - E_0$;

• si $E = 2E_0$, le même phénomène qu'à $E = E_0$ se produit, une raie lumineuse deux fois plus intense est émise, les électrons ne sont plus récupérés, le galvanomètre de mesure sur la plaque collectrice retombe à zéro.

La similitude avec la discussion du seuil minimal de l'effet photoélectrique est frappante : après la quantification de la lumière, c'est la quantification de la matière suivant le modèle de l'atome de Bohr.

C'est la première vérification expérimentale de la mécanique quantique ; la confirmation à maintes reprises de son modèle, associée à un réel talent de Bohr pour la philosophie interprétative en feront le pape de « l'École de Copenhague », parfois rigide, en tout cas tenant d'une certaine orthodoxie jusqu'à sa mort en 1962.

Le principe d'indétermination d'Heisenberg (1927)

Le jeune physicien allemand Werner Heisenberg né en 1901 passe trois ans avec Bohr à Copenhague de 1924 à 1927. Il formule un principe fondamental de la nouvelle physique quantique : on ne peut pas connaître simultanément la position x et la quantité de mouvement p d'une particule avec des précisions respectives Δx et Δp arbitrairement petites. Ces deux quantités sont toujours contraintes par la relation :

$$\Delta \mathbf{p} \times \Delta \mathbf{x} \geq \frac{\hbar}{2}$$

$$\text{avec } \hbar = \frac{h}{2\pi} \approx 1{,}05 \times 10^{-34} \text{ joules} \times \text{seconde} \quad (2)$$

La première manière d'interpréter cette relation fut que la mesure perturbe le système mesuré : si l'on essaie de connaître la position d'une particule avec une précision Δx inférieure à $\frac{\hbar}{2}$ (à supposer que cela soit possible), alors la quantité de mouvement (et donc la vitesse) ne peut être connue qu'avec une précision Δp supérieure à $\frac{\hbar}{2 \times \Delta x}$.

• Mesurons par exemple la position d'une particule avec un microscope électronique : l'énergie lumineuse du microscope passe sous forme de quanta à la particule objet de la mesure, ce qui modifie son énergie et par conséquent sa vitesse. Plus on essaie de mesurer la position avec précision, plus ce phénomène s'accentue : pour plus de précision on a besoin d'une lumière à longueur d'onde plus courte (il faut resserrer les crêtes de lumière pour mieux « cerner » la position, un peu comme des courbes de niveau cartographiques), donc à fréquence plus élevée, donc à énergie plus élevée, ce qui modifie encore plus la vitesse de la particule.

Avec le développement de la mécanique quantique, l'interprétation de cette relation devint plus élaborée. C'est bien une propriété *intrinsèque* de la *description quantique* de la matière, et non une indétermination liée à la mesure : une particule ne peut être *décrite,* voire un système de particules ne peut être *conçu,* comme ayant une position et une vitesse mieux déterminées que ce qu'autorise la relation d'Heisenberg.

C'est là le débat qui a lieu entre Einstein et Heisenberg. Pour ce dernier, la réalité n'est pas un enjeu scientifique, seule compte la *description* qui peut en être faite : en mécanique quantique, on ne peut pas *connaître* un système, on peut simplement le *décrire* à l'incertitude de la relation *(2)* près.

• Une nouvelle fois, la mécanique classique est prise en défaut : elle postule qu'elle *connaît* précisément la position et la vitesse d'un corps ; or la relation d'Heisenberg nous dit que c'est impossible. Bien entendu, comme les précisions des instruments de mesure, même les plus perfectionnés, sont telles que $\Delta p \times \Delta x \geq \frac{\hbar}{2}$, l'incertitude quantique passe inaperçue compte tenu de la très faible valeur de la constante de Planck h. En mécanique classique, tout se passe comme si la constante de Planck h était nulle : on retrouve la notion de continuité, à savoir que la mécanique classique est une bonne approximation de la mécanique quantique quand $h \rightarrow 0$, ou quand $\Delta p \times \Delta x \gg \frac{\hbar}{2}$[1].

1. De la même manière que la mécanique classique est une bonne approximation de la mécanique relativiste quand $v \ll c$.

Ce n'est pas un jeu probabiliste classique[1], mais un caractère aléatoire lié à l'objet lui-même. Lors d'un lancer de dés ou de boule au casino, on pourrait se donner les moyens de connaître le résultat si l'on s'en donnait la peine en écrivant un ensemble d'équations : il n'y a aucune incertitude liée au dé ou à son lancer. La relation d'Heisenberg nous dit que, pour une particule au niveau quantique, on ne peut pas se donner les moyens de connaître son état plus précisément.

Un prince dans la nouvelle physique

En 1905, Planck et Einstein formulent l'idée que la lumière, qu'on croyait ondulatoire, est corpusculaire ; en 1923, le prince Louis de Broglie soutient dans sa thèse l'idée que la matière, qu'on croyait corpusculaire, est aussi ondulatoire.

À toute particule dotée d'une vitesse v et d'une quantité de mouvement p = mv, il associe la longueur d'onde λ :

$$\lambda = \frac{h}{p} \qquad (3)$$

C'est la dualité onde-corpuscule connue pour la lumière et ainsi étendue à la matière : onde à gauche de l'équation *(3)* avec la longueur d'onde, corpuscule à droite avec la quantité de mouvement donc la masse.

Schrödinger réalise la formalisation mathématique[2] de cette intuition géniale.

1. Telles qu'on les a décrites en chapitre 10, les probabilités sont un moyen mathématique commode de décrire une réalité aléatoire qui pourrait être décrite beaucoup plus finement ; on ne peut pas en dire autant de la réalité ici. On retrouvera, dans les « fentes de Young quantiques » comme dans « le paradoxe EPR des états intriqués » que $P(A \cup B) \neq P(A) + P(B)$, contrairement aux probabilités traditionnelles calquées sur une réalité sans ambiguïté.

2. La relativité est au départ une conception théorique et allait trouver assez vite ses outils mathématiques dans l'existant (Lorentz et Minkovski pour la relativité restreinte ; Grossmann et les tenseurs de Levi-Civita pour la relativité générale) ; la mécanique quantique issue, elle, de l'expérience, allait mettre un certain temps pour trouver sa formulation mathématique, vingt-cinq ans s'écoulèrent entre la constante de Planck en 1900 et les premières formalisations (matrices de Heisenberg en 1925 et équation de Schrödinger en 1926).

Rappelons qu'à toute onde est associée une fonction d'onde : par exemple, à une onde émise au point (0,0) sur un plan d'eau, on associe la fonction d'onde donnant la position de l'onde à un instant t, $\Psi = (vt)$ où v est la vitesse de propagation de l'onde. Schrödinger conçoit une fonction d'onde Ψ qui a la caractéristique suivante :

$$P(D) = \iiint_D |\psi|^2 d\sigma \qquad (4)$$

Cette relation *(4)* s'interprète comme suit : la probabilité P(D) de trouver une particule donnée dans un volume D est égale à chaque instant à l'intégrale du carré du module de la fonction d'onde dans ce volume.

• $|\Psi|$ est le module de la fonction d'ondes ou l'amplitude de l'onde, $d\sigma$ est un élément de volume. Par ailleurs $P(R) = \iiint_R |\psi|^2 d\sigma = 1$: R étant la totalité de l'espace possible, la probabilité d'y trouver la particule est égale à 1.

• La relation *(4)* exprime aussi l'idée que la probabilité de trouver une particule dans un petit domaine D est proportionnelle au volume de D et à l'intensité de l'onde dans D.

Ψ, fonction d'onde classique d'une théorie purement ondulatoire, devient ainsi une distribution de probabilités de la position de la particule. La dualité onde-corpuscule est clairement visible dans cette relation *(4)*, comme dans la relation *(3)* : à droite de la relation *(4)* le caractère ondulatoire (fonction d'onde), à gauche le caractère corpusculaire (probabilité de localisation de la particule).

Le lien onde-corpuscule est ténu – c'est un lien probabiliste – mais il existe, et cette relation *(4)* en est le symbole.

Elle s'applique par ailleurs directement à l'atome de Bohr : l'existence d'orbites données pour les électrons dans l'atome correspond au maximum de la fonction d'ondes de l'électron, c'est-à-dire la plus grande probabilité qu'il a de se trouver sur cette orbite.

La preuve expérimentale du caractère ondulatoire de la matière : la diffraction des électrons (1927)

En 1927, une preuve expérimentale de la relation *(3)* est l'expérience de diffraction des électrons par Davisson et Germer, qui mettent en évidence « l'onde de matière » : même un faisceau corpusculaire constitué d'électrons, c'est-à-dire de particules bien identifiées ayant une certaine masse – à la différence des photons qui sont sans masse –, et donc une quantité de mouvement p, forme une figure d'interférences, comme une onde de longueur d'onde λ, avec une distance entre les franges d'interférences égale à $\lambda = \frac{h}{p}$.

Menons la discussion sur une expérience analogue à celle de Davisson et Germer, celle des « fentes de Young quantiques » (voir chapitre 13 sur l'expérience de Young et la diffraction de la lumière). Remarquons que les figures 18.3 ci-dessous sont très similaires aux figures 13.6 de l'expérience des fentes de Young pour la lumière.

• Si la fente du haut A est seule ouverte, on observe un impact des électrons à l'aplomb de cette fente ; de même si seule la fente B est ouverte (figure 18.3c).

• Si les deux fentes sont ouvertes, on pourrait s'attendre que la figure observée soit la somme des deux courbes précédentes : deux impacts, l'un à l'aplomb de A et l'autre à l'aplomb de B (figure 18.3.a) ; or on observe une figure d'interférences de type 18.3.b, analogue à celle qu'on observe pour une onde lumineuse sur la figure 13.6, avec un maximum d'impacts d'électrons au milieu des deux fentes ! Ce ne sont pas deux faisceaux d'électrons qui se forment et passent l'un par A et l'autre par B : tout se passe comme si une onde se formait à gauche des fentes, créant une figure d'interférences à droite des fentes.

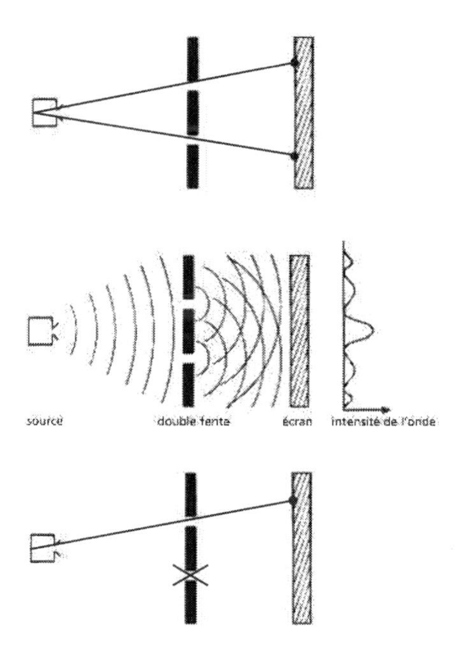

Figures 18.3.a, b et c : « Fentes de Young quantiques ».

• En revanche, toujours avec les deux fentes ouvertes, si l'on met un dispositif au droit de chacune des deux fentes permettant de mesurer, pour chaque électron émis, par quelle fente il est passé, alors à droite la figure d'interférences s'estompe et l'on trouve – dans ce cas seulement – la courbe à laquelle on s'attendait intuitivement, à savoir deux impacts maximum, à l'aplomb de A et de B (figure 18.3a) ! On retrouve la perturbation du système par la mesure (ce qu'on appelle la « réduction du paquet d'ondes », première interprétation du principe d'Heisenberg).

• Dans le cas de la figure d'interférence (18.3b), on ne peut pas savoir par quelle fente est passé l'électron : il n'est pas possible

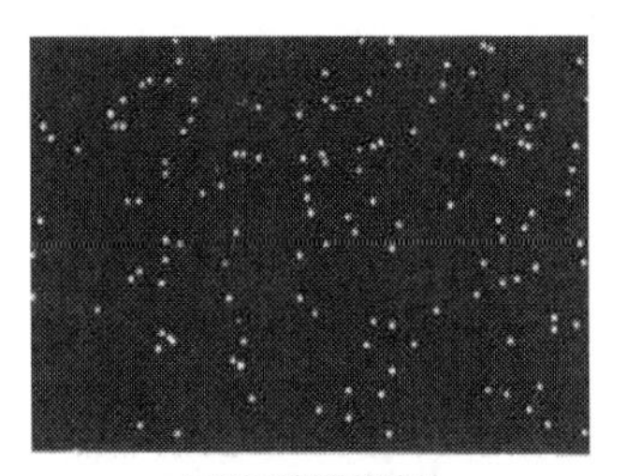

Après 100 électrons

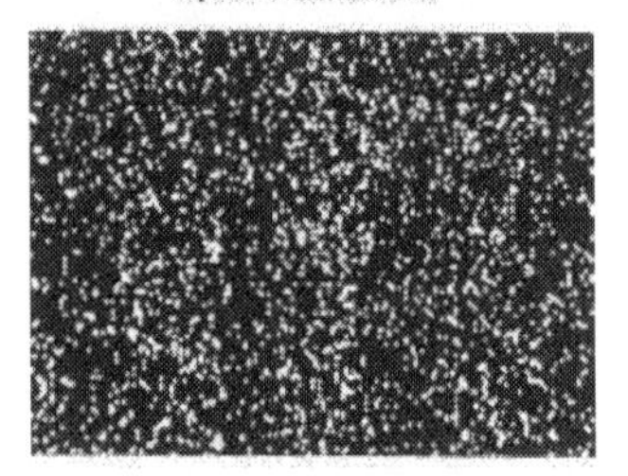

Après 3 000 électrons

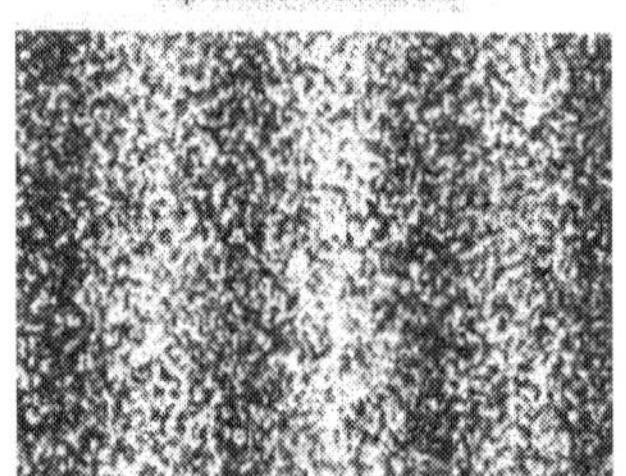

Après 70 000 électrons

Figure 18.4 : Franges de diffraction d'électrons
dans une expérience de type Davisson et Germer.
Après 100, puis 3 000, puis 70 000 électrons émis,
on voit apparaître progressivement les franges d'interférence.
Images Brock University, Ontario, Canada.

simultanément d'observer les interférences et de savoir par quelle fente est passé chaque électron.

C'est la complémentarité onde-corpuscule de la matière, chacun des aspects (onde ou corpuscule) se manifestant au détriment de l'autre.

Au photon de lumière qu'on croyait à comportement purement ondulatoire et que Planck et Einstein découvrent corpusculaire, jusqu'à l'électron qu'on croyait purement corpusculaire et que Broglie découvre ondulatoire, c'est toute la physique microscopique qui se découvre *et* ondulatoire *et* corpusculaire : ce sont deux représentations complémentaires d'une même réalité.

CHAPITRE 19

Physique quantique, vérification et paradoxes

1927 est l'année de la maturité pour la mécanique quantique. Elle dispose enfin d'un formalisme mathématique grâce à Heisenberg et Schrödinger. À l'inverse de la relativité[1], elle est corroborée, chemin faisant, par de nombreuses preuves expérimentales (expérience de Franck et Hertz en 1913, mise en évidence des photons ex-quanta de lumière en 1921, expérience de Davisson et Germer en 1927 sur le caractère ondulatoire de la matière).

Elle constitue un corpus de connaissances qui n'a plus grand-chose à voir avec la mécanique, d'ailleurs les notions de trajectoire et de déterminisme connues en mécanique n'y ont plus cours. Elle est valide sur des pans importants de la science classique, mécanique, électromagnétisme, chimie, radioactivité : elle commence à cette époque à prendre le nom de *physique* quantique.

---

1. Une autre différence importante est que la relativité fut le travail d'un homme seul, tandis que la mécanique quantique fut celui d'une équipe. Même si Bohr a eu un rôle déterminant, il n'a pas été le seul.

« Dieu ne joue pas aux dés »

Se produit alors un phénomène relativement neuf dans l'histoire des sciences, toute cette équipe de chercheurs hors pair commence à se poser des questions métaphysiques, compte tenu de l'ampleur des découvertes réalisées pendant la période 1900-1925 et de leurs conséquences sur la vision commune de la nature et de la « réalité » des choses.

Au cinquième congrès Solvay[1] à Bruxelles en 1927, les positions en présence commencent à se tendre :

• D'un côté, les fervents promoteurs de la nouvelle physique quantique avec l'ensemble de ses outils, les principes d'indétermination et probabiliste, acceptant leurs conséquences sur le déterminisme scientifique : Bohr (prix Nobel 1922), Heisenberg, Dirac, Pauli, Born.

• De l'autre, ceux qui ne veulent pas abandonner complètement l'idée d'une réalité physique du monde au profit de la description quantique de cette réalité : Lorentz[2] (prix Nobel 1912, président du congrès Solvay, qui meurt l'année suivante), de Broglie (l'inventeur de la mécanique ondulatoire), Schrödinger (qui dota la nouvelle mécanique de sa fonction d'ondes), et Einstein (le premier à avoir eu l'idée du quantum de lumière, ce qui lui vaut le prix Nobel en 1921).

• Einstein notamment pense qu'une description complète de la réalité est possible, et que la description probabiliste par la physique quantique ne constitue qu'une théorie incomplète ; il ne souhaite pas abandonner l'idée de déterminisme et d'une réalité physique indépendante de l'observation, ce qu'il formulera dans la phrase célèbre « Dieu ne joue pas aux dés »[3].

---

1. Du nom de la société chimique belge (qui existe encore de nos jours).
2. Par ailleurs mathématicien inventeur des transformations de Lorentz, qui servent de base à la relativité restreinte, *cf.* chapitre 14.
3. « *Die Theorie liefert viel, aber dem Geheimnis des Alten bringt sie uns kaum näher. Jedenfalls bin ich überzeugt, daß* der *nicht würfelt* » (Lettre d'Einstein à Max Born, 4 décembre 1926) ; « La théorie nous apporte beaucoup de choses, mais elle nous approche à peine du secret du Vieux. En tout cas je suis convaincu que *lui* ne joue pas aux dés ».

Pour lui, une théorie physique doit être complète (au sens de Gödel et du chapitre 9) : la particule est une réalité, elle doit pouvoir être décrite ; il existe donc des éléments descriptifs non présents dans la théorie quantique, des « variables cachées ».

Parmi ces tenants d'une représentation physique du monde (« s'il y a un objet, c'est qu'il y a une réalité »), deux d'entre eux conçoivent des *Gedankenexperiment* (expérience de pensée) : Schrödinger de manière imagée avec le chat éponyme, et Einstein de manière beaucoup plus élaborée avec le « paradoxe EPR » formulé en 1935 et qui ne pourra être réfuté qu'au début des années 1980.

Le chat de Schrödinger

Figure 19.1 : Le chat de Schrödinger, dans un état à la fois vivant et mort. ©Jean-Louis Basdevant à la manière de Siné.

Nous mentionnons ici ce paradoxe pour mémoire, puisqu'à son sujet il a été abondamment écrit[1].

Une boîte contient une source radioactive. Au bout d'un certain temps (demi-vie radioactive), il y a cinquante pour cent de chances pour qu'une particule ait été émise par l'élément radioactif. Un compteur enregistre l'émission de cette particule et actionne un dispositif brisant une fiole de cyanure, tuant le chat dans sa boîte.

1. Deux sujets stimulent ainsi l'imaginaire dans des écrits et des livres parfois oiseux : c'est, en mathématiques, le nombre d'or (chapitre 3), et en physique le chat de Schrödinger.

Au bout du temps considéré (50 % de chances d'émission de la particule), le chat est-il vivant ou mort ? La mécanique quantique nous indique qu'il est dans la superposition des deux états vivant et mort, avec une probabilité égale, tant que nous ne sommes pas allés voir dans la boîte.

Autant on est prêt à accepter cet état pour la particule microscopique, autant on n'est pas prêt à le faire pour le chat...

L'interprétation de ce paradoxe par la physique quantique est le phénomène de *décohérence* : dès qu'on sort du niveau microscopique sur un petit nombre de particules, les interactions physiques sont en grand nombre et induisent la réduction du paquet d'ondes en un état unique.

Le paradoxe Einstein-Podolski-Rosen (EPR) (1935)

Le débat allait prendre corps principalement entre les deux géants de la physique du XXe siècle, d'une part Einstein partisan d'une forme de déterminisme, d'autre part Bohr, le pape de la mécanique quantique et de ce qu'on appellera plus tard « l'École de Copenhague ».

En 1935, dans une époque déjà troublée où les relations étaient moins fluides entre tous ces scientifiques[1], Einstein formule dans un article scientifique avec ses collègues Podolski et Rosen[2], un paradoxe qui attendra presque cinquante ans avant d'être résolu, soit

1. Einstein avait déjà quitté l'Allemagne et s'était installé à Princeton courant 1933 ; Schrödinger, catholique et autrichien, quitte l'Allemagne et s'installe à Oxford en novembre 1933 ; Heisenberg reste en Allemagne et participe au programme allemand de bombe atomique pendant la Seconde Guerre mondiale. Il n'y aura plus de congrès Solvay avant-guerre après le septième congrès de 1933.

2. « *Can Quantum-Mechanical description of physical reality be considered complete ?* » A. Einstein, B. Podolski, N. Rosen, *Physical Review*, n°47. Ces deux physiciens travaillaient avec Einstein à Princeton : Boris Podolski (1896-1966) était d'origine russe et avait émigré aux États-Unis ; Nathan Rosen (1909-1995) était de New York et émigrera après-guerre en Israël, où il fondera l'Institut de Physique du Technion de Haïfa.

après la mort des deux protagonistes initiaux Einstein (en 1955) et Bohr (en 1962).

L'espoir d'Einstein est de trouver une super-théorie, qui reproduirait bien sûr les résultats expérimentaux de la mécanique quantique, mais qui serait déterministe, incluant ces « variables cachées » supposées manquer au formalisme quantique.

En 1935, date de l'article EPR, cette super-théorie est envisageable, rien dans les résultats expérimentaux ne l'exclut. En 1964, le physicien Bell démontre que cette éventuelle super-théorie devrait obéir à des contraintes mathématiques très précises , et qu'en tout état de cause la mécanique quantique violait ces contraintes : cela signifiait que super-théorie et mécanique quantique étaient incompatibles, sans toutefois que l'une ou l'autre soit invalidée à ce stade. Dans les années 1980, plusieurs équipes, dont celle du physicien français Alain Aspect[1], apportent un résultat décisif qui vérifie expérimentalement la violation des contraintes de Bell par la mécanique quantique, validant ainsi cette dernière, et invalidant l'éventuelle super-théorie.

Introduisons de manière simple les concepts quantiques nécessaires à la compréhension du paradoxe. Il est aussi fondé sur une propriété classique de la lumière, connue dès 1805, le fait qu'elle vibre dans un plan perpendiculaire à sa direction de propagation, et qu'elle peut être « polarisée[2] » suivant un axe privilégié de ce plan.

• L'état de polarisation $| x >$ d'un photon signifie qu'il a été préparé suivant une polarisation égale à 1 sur l'axe Ox ; si l'on mesure de nouveau sa polarisation par le polariseur P suivant Ox, on trouve 1 dans 100 % des cas ; si l'on mesure sa polarisation suivant l'axe

1. Alain Aspect a reçu la médaille d'or du CNRS en 2005 pour son œuvre. La discussion qui suit s'inspire de l'article A. Aspect /Ph. Grangier, *in* bibliographie [24], pages 39-86.
2. La polarisation de la lumière est découverte par le physicien et ingénieur français Étienne-Louis Malus (1775-1812), élève de la première promotion de l'École polytechnique (1794) ; il participe avec Bonaparte à la campagne d'Égypte, qui fut riche en observations et réalisations scientifiques.

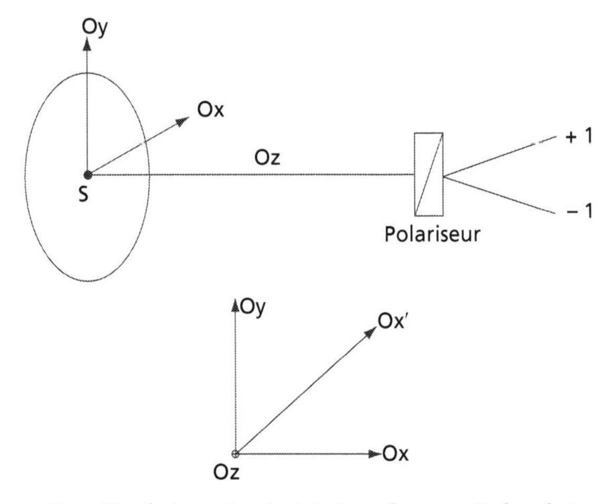

Figure 19.2a : Un photon préparé est émis par la source S ; le polariseur P, qui peut tourner dans le plan Ox/Oy autour de l'axe Oz, mesure la polarisation du photon suivant un axe donné Ow du plan Ox/Oy ; la lumière polarisée suivant Ow sort dans la voie + 1 (par convention, on dit qu'on a mesuré + 1 pour la polarisation suivant Ow), celle polarisée perpendiculairement à Ow sort dans la voie – 1 (par convention, on dit qu'on a mesuré – 1 pour la polarisation suivant Ow).
b : Coupe par le plan de polarisation Ox/Oy.

Oy, on trouve – 1 dans 100 % des cas ; si on mesure sa polarisation à 45° de Ox (axe Ox′, figure 19.2.b), on trouve 1 dans 50 % des cas, – 1 dans 50 % des cas. La polarisation suivant Ox est parfaitement définie, la polarisation suivant Ox′ ne l'est pas : ce sont deux observables quantiques incompatibles, comme la position et la vitesse dans le principe d'Heisenberg.

• L'état de polarisation | x, x > d'une paire de photons signifie qu'ils ont été préparés tous deux avec la même polarisation, égale à 1 sur l'axe Ox ; l'état de polarisation | y, y > d'une paire de photons signifie qu'ils ont été préparés tous deux avec la même polarisation, égale à 1 sur l'axe Oy.

• Avec des paires de photons successives préparées aléatoirement et en proportions égales, paires | x, x > d'une part, paires | y, y > d'autre part, la mesure de polarisation d'une paire de photons suivant Ox donne (1,1) (c'est une paire | x, x >) ou (– 1,– 1) (c'est une paire | y, y >) ; la mesure ne donne jamais (1,– 1) ou (– 1,1). Il y a *corrélation totale* entre les deux mesures (même résultat, 1 ou – 1).

En revanche, une mesure suivant l'axe Ox′ donne pour le premier photon 1 ou – 1 de manière équiprobable, et de même pour le deuxième photon. La mesure de polarisation de la paire donne (1,1), (– 1,– 1), (1,– 1), (– 1,1) avec une probabilité de 25 % : il y a *décorrélation totale* entre les deux mesures.

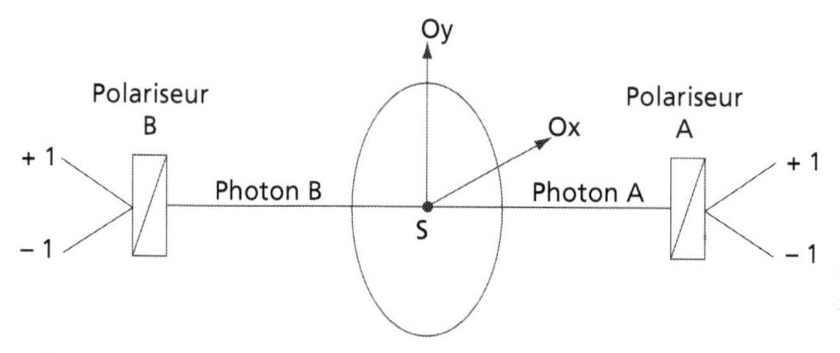

Figure 19.2c : Paire de photons envoyés l'un à droite vers le polariseur A, l'autre à gauche vers le polariseur B.

• Si l'on prend une paire de photons polarisée d'une certaine manière, et qu'on envoie le premier photon vers le polariseur de droite qui mesure sa polarisation suivant l'axe Oa (dans le plan Oxy), et le second photon vers le polariseur de gauche qui mesure sa polarisation suivant l'axe Ob (toujours dans le plan Oxy), on définit le coefficient de corrélation :

$$E(a,b) = P_{++}(a,b) + P_{--}(a,b) - P_{+-}(a,b) - P_{-+}(a,b) \qquad (1)$$

La notation est aisément compréhensible : P_{++} est la probabilité de trouver 1 suivant l'axe Oa dans le polariseur de droite et 1 suivant l'axe Ob dans le polariseur de gauche, P_{--} celle de trouver – 1 et – 1, etc.

Pour reprendre les exemples ci-dessus :

• Mesures de polarisation suivant Ox : $P_{++}(Ox,Ox) = P_{--}(Ox,Ox) = \frac{1}{2}$, $P_{+-}(Ox,Ox) = P_{-+}(Ox,Ox) = 0$, on a donc E (Ox,Ox) = 1 (corrélation).

• Mesures de polarisation suivant Ox′ à 45° :

$P_{++}(Ox,Ox) = P_{--}(Ox,Ox) = P_{+-}(Ox,Ox) = P_{-+}(Ox,Ox) = \frac{1}{4}$,

on a donc E(Ox′,Ox′) = 0 (décorrélation).

Toute l'analyse qui précède est valable *dans un cadre classique*, y compris la probabilité de trouver une polarisation suivant un axe donné, sujet classique d'étude de la polarisation de la lumière. Cette analyse nous donne toutefois les notations qui nous permettent d'introduire l'expérience de pensée EPR de 1935 ; Einstein suggère une paire de photons A et B préparés dans un polariseur lumineux, et dont l'état *quantique* est décrit par la fonction d'ondes :

$$\Psi_{EPR}(A, B) = \frac{1}{\sqrt{2}}(|\, x, x > + |\, y, y >) \qquad (2)$$

($\frac{1}{\sqrt{2}}$ est là pour assurer que $\int |\psi|^2 = 1$, caractéristique de toute fonction d'onde, voir *(4)* chapitre 18).

La description quantique en *(2)* ne peut être décomposée en deux fonctions caractérisant séparément les particules A et B ; c'est la propriété d'*intrication* qui est au cœur du paradoxe apparent décrit.

• Cet état a la particularité d'être totalement invariant par rotation ; si l'on décale d'un angle β le repère Oxy, on décrira l'état par la même fonction Ψ_{EPR}. Cet état est tel qu'il donne (1,1) ou (– 1,– 1) suivant n'importe quel repère orthogonal du plan de polarisation initial[1]. Cela signifie aussi que, quel que soit l'axe Oa de mesure par les deux polariseurs du photon A à droite et du photon B à gauche,

---

1. Toutes proportions gardées, on peut considérer cela comme un « Chat de Schrödinger » à deux dimensions, sur le cercle de polarisation : on a la même probabilité de trouver pour la paire de photons (1,1) ou (– 1,– 1) suivant n'importe quel axe du plan de polarisation.

$$P_{++}(Oa,Oa) = P_{--}(Oa,Oa) = \frac{1}{2},\ P_{+-}(Oa,Oa) = P_{-+}(Oa,Oa) = 0\ (3),$$

$$E\,(Oa,\,Oa) = 1$$

Cette propriété mène assez loin dans l'interprétation : si l'on mesure suivant l'axe Oa 1 (resp. – 1) pour le photon A dans le polariseur de droite, alors on est sûr d'avoir 1 (res.– 1) suivant le même axe Oa pour le photon B dans le polariseur de gauche, aussi éloignés soient les deux appareils de mesure, et ce même sans faire la mesure ! En violation de la relation d'incertitude d'Heisenberg, cette propriété est au cœur d'une phrase clef de l'article EPR, s'appliquant à la mesure suivant Oa du photon B alors qu'on a trouvé 1 ou – 1 suivant Oa pour le photon A :

> « Lorsque, sans perturber en quoi que ce soit un système, nous pouvons prédire avec certitude (c'est-à-dire une probabilité de 1) la valeur d'une quantité physique, alors il existe un élément de réalité physique correspondant à cette quantité physique. »

Einstein ne remet pas en cause le formalisme quantique, à preuve il l'utilise, et d'ailleurs Ψ_{EPR} est la seule façon de décrire cet état avec le formalisme quantique ; mais il en déduit que ce formalisme est incomplet[1], insuffisant à décrire cette réalité physique concernant la particule B ; il existe donc des variables cachées manquant dans le formalisme quantique pour décrire l'état de B.

• Le calcul quantique donne pour une mesure de A suivant Oa et une mesure de B suivant Ob :

$$P_{++}(Oa,Ob) = P_{--}(Oa,Ob) = \frac{1}{2}\cos^2(Oa,Ob)$$

Où (Oa,Ob) est l'angle formé par les deux directions de mesure sur les deux polariseurs

$$P_{+-}(Oa,Ob) + P_{-+}(Oa,Ob) = 1 - \cos^2(Oa,\,Ob) = \sin^2(Oa,Ob)$$

1. On remarquera le parallélisme évident entre le théorème de Gödel et la notion d'incomplétude illustrée dans l'article EPR (écrit quatre ans après celui de Gödel), de même qu'entre la démonstration de logique du mathématicien Gödel en 1935 et celle du physicien Bell en 1964.

$$P_{+-}(Oa,Ob) = P_{-+}(Oa,Ob) = \frac{1}{2}\ \sin^2(Oa,Ob)$$

En calculant E(a,b) suivant la formule *(1)* :

$$E(a,b) = \cos^2(Oa,Ob) - \sin^2(Oa,Ob) = \cos\,[2\,(Oa,Ob)]$$

On retrouve E(a, b) = 1, corrélation totale, quand les directions d'analyse sont identiques (soit (Oa, Ob) = 0 ou π).

• On peut retrouver ce résultat si l'on admet – ce qui est le plus dérangeant – le caractère équivalent en mécanique quantique de tous les axes de mesure identiques, donné en *(3)* : à partir du moment où l'on trouve une amplitude de probabilité 1 sur un axe donné Oa quel que soit Oa, la probabilité de la seconde mesure sur Ob est donnée par la loi classique de Malus sur les probabilités de polarisation lumineuse, soit $\frac{1}{2}\cos^2(Oa,Ob)$.

L'inégalité de Bell, une grande étape de logique mathématique et physique

L'étape suivante est franchie par le physicien irlandais Bell en 1964, soit trente ans après l'article EPR. Il montre par un raisonnement simple et de l'ordre de la logique que, si variable cachée il y a, elle obéit à de fortes contraintes.

Il définit une fonction de corrélation S(a,a',b,b') pour le polariseur de droite orienté suivant a puis a' et le polariseur de gauche orienté suivant b puis b' :

$$S(a,a',b,b') = E(a,b) - E(a,b') + E(a',b) + E(a',b') \qquad (4)$$

Supposons à présent qu'il existe une variable cachée λ décrivant plus complètement l'état de la paire de photons que la fonction d'onde *(2)* ci-dessus.

• Soit $A(\lambda,a)$ la mesure donnée par le polariseur de droite orienté suivant Oa, lorsque le photon « porte » le paramètre λ. Cette fonction $A(\lambda,a)$ correspond à une description de la particule A indépendante de la particule B : c'est la première fois qu'on définit une fonction dépendant de A seulement et non de B, à la différence des fonctions *(1)*, *(2)*, *(3)*, *(4)* ci-dessus.

• Par définition, s'agissant de deux photons préparés de la même manière, la variable cachée λ est la même pour les photons A et B. Mais, comme ci-dessus, A(λ,a) ne peut prendre que les deux valeurs discrètes 1 ou – 1 (avec des niveaux de probabilité différents).

• On définit s(λ, a, a′, b, b′) = A(λ,a) × B(λ,b) – A(λ,a) × B(λ,b′) + A(λ,a′) × B(λ,b) + A(λ,a′) × B(λ,b′), transposition de la formule *(4)* avec une variable cachée λ.

• Le tableau des valeurs possibles de s, compte tenu du fait que ses fonctions constitutives valent 1 ou – 1, se présente de la manière suivante :

A(λ,a)	**A(λ,a′)**	**B(λ,b)**	**B(λ,b′)**	**s(λ,a,a′,b,b′)**
+ 1	+ 1	+1	+ 1	**+ 2**
+ 1	+ 1	+ 1	– 1	**+ 2**
+ 1	+ 1	– 1	+ 1	**– 2**
+ 1	+ 1	– 1	– 1	**– 2**
+ 1	– 1	+ 1	+ 1	**– 2**
+ 1	– 1	+ 1	– 1	**+ 2**
+ 1	– 1	– 1	+ 1	**– 2**
+ 1	– 1	– 1	– 1	**+ 2**
– 1	+ 1	+ 1	+ 1	**+ 2**
– 1	+ 1	+ 1	– 1	**– 2**
– 1	+ 1	– 1	+ 1	**+ 2**
– 1	+ 1	– 1	– 1	**– 2**
– 1	– 1	+ 1	+ 1	**– 2**
– 1	– 1	+ 1	– 1	**– 2**
– 1	– 1	– 1	+ 1	**+ 2**
– 1	– 1	– 1	– 1	**+ 2**

• Quelle que soit la valeur de λ, on a s(λ, a, a′, b, b′) valant 2 ou – 2 ; si on moyenne sur toutes les valeurs possibles de λ, les axes a, a′, b, b′ étant fixés, on obtient une valeur moyenne de quantités comprises entre – 2 et 2, donc elle-même comprise entre – 2 et 2 ; or cette valeur moyenne correspond justement à la valeur *(4)* portant sur les mesures de la paire de photons :

$$S(a, a', b, b') = E(a,b) - E(a,b') + E(a',b) + E(a',b') = \int_\lambda s(\lambda, a, a', b, b')d\lambda.$$

D'où l'inégalité de Bell :

$$\mathbf{-2 \leq S(a, a', b, b') \leq 2}$$

Or, si l'on revient aux photons intriqués définis en *(2)*, et que l'on prend certains axes de mesure des polariseurs de droite et de gauche comme dans la figure ci-dessous :

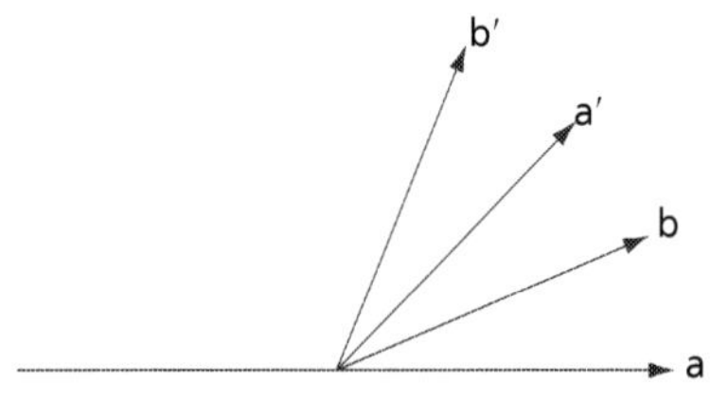

Figure 19.3 : Orientation des polariseurs en violation maximale de l'inégalité de Bell :
par rapport à a, l'axe b est à $\frac{\pi}{8}$, l'axe a′ est à $\frac{\pi}{4}$, l'axe b′ est à $\frac{3\pi}{8}$.

$$E(a,b) = \cos\,[2\,(a,\,b)] = \cos\left[\frac{2\times\pi}{8}\right] = \cos\frac{\pi}{4} = \frac{\sqrt{2}}{2},$$

$$E(a,b') = \cos\frac{3\pi}{4} = -\frac{\sqrt{2}}{2},\ E(a',b) = \cos\left(-\frac{\pi}{4}\right) = \frac{\sqrt{2}}{2},$$

$E(a',b') = \cos \frac{\pi}{4} = \frac{\sqrt{2}}{2}$, donc $S(a, a', b, b') = 2\sqrt{2} = 2{,}828 \geq 2$, en violation de l'inégalité de Bell ci-dessus.

Résolution expérimentale et interprétations

Bell montre ainsi clairement la contradiction entre :

• d'une part, la prévision de la mécanique quantique pour une paire de photons intriqués (état *(2)*) et une orientation des polariseurs suivant 19.3 qui donne $S = 2{,}82$;

• d'autre part, la possibilité de compléter le formalisme quantique par des variables cachées permettant de décrire la réalité de manière plus complète qui implique nécessairement $S \leq 2$.

Il ouvrait la voie à la possibilité de trancher de manière expérimentale le paradoxe EPR, en fabriquant des photons intriqués et en vérifiant la valeur de S supérieure à 2. Or, malgré quarante années de résultats expérimentaux conformes à la théorie entre 1925 et 1965, il n'y avait aucun résultat expérimental permettant de tester les inégalités de Bell.

La production de photons intriqués par excitation laser d'atomes de calcium a été réalisée en 1982 à l'université d'Orsay par Alain Aspect ; l'atome de calcium excité émet en un temps très court un photon A de longueur d'onde 551 nm, se désexcitant vers un second état encore excité, qui émet lui-même un photon B de longueur d'onde 422 nm avant de revenir à l'état fondamental ; on peut montrer que les deux photons, émis par le même atome, sont dans un état intriqué identique à *(2)* ci-dessus.

Les mesures très précises faites au cours de cette expérience donnent $S = 2{,}697 \pm 0{,}015$, pour une prévision de la théorie à $S = 2{,}70 \pm 0{,}05$ (qui n'est autre que le 2,82 de Bell corrigé de certains facteurs). Avec le développement des réseaux de télécommunications à fibres optiques, on a pu, sur de tels réseaux à Genève et

Innsbruck en 1998, mesurer cette valeur de S pour des distances entre source et détecteurs de plusieurs centaines de mètres (les photons A et B se séparent juste après la source et parcourent plusieurs centaines de mètres sur fibre optique dans deux directions différentes avant que leur valeur de polarisation soit mesurée).

Le résultat, près de cinquante ans après l'expérience de pensée[1], ne laisse pas d'étonner : le « paradoxe » EPR n'en est pas un, le formalisme de la mécanique quantique est correct et complet, sans variables cachées.

Les deux particules A et B, aussi éloignées soient-elles, restent dans un état d'intrication. Pour de telles particules, on doit renoncer à une description réaliste locale : conséquence de l'intrication, il est faux de penser qu'on ne touche pas à B quand on fait une mesure de polarisation sur A.

Les propriétés des systèmes intriqués sont actuellement au cœur de la recherche sur la cryptographie quantique (A et B sont les seuls à partager une information donnée) et sur l'ordinateur quantique : l'article d'Einstein de 1935, même si la solution qu'il proposait n'était pas la bonne, a ouvert une voie qui s'est révélée féconde...

Quelques interprétations du passage de l'observable quantique à l'observable macroscopique

Citons globalement, sans nous y attarder, quelques interprétations actuelles de la physique quantique, certaines ayant des bases scientifiques et faisant l'objet de recherches approfondies, d'autres plus fantaisistes.

1. Deux des expériences de pensée d'Einstein durent attendre une cinquantaine d'années (la pensée d'Einstein était à long terme !) pour être testées expérimentalement avec du matériel de précision dû à la physique nucléaire : celle de 1907 (le principe d'équivalence avec l'expérience de pensée de l'ascenseur en chute libre), résolue de manière positive par le troisième test en 1960 (*cf.* chapitre 15), et celle de 1935 décrite ici (résolue de manière positive pour la mécanique quantique mais non conforme à ce que souhaitait montrer Einstein).

• L'interprétation traditionnelle de « l'École de Copenhague » est la *décohérence* : comme on l'a vu avec le chat de Schrödinger, la réalité perd son caractère quantique en passant du microscopique au macroscopique ; il y a annihilation de la fonction d'ondes. Bien entendu la modélisation de cette décohérence fait l'objet de recherches poussées.

• Eugène Wigner (1902-1995, prix Nobel de physique 1963 pour ses contributions à la physique nucléaire), soutient l'interaction de la conscience avec la réalité ; c'est la *conscience* qui provoque la décohérence et annihile la fonction d'onde à deux états en décidant de manière certaine quelle attitude adopter (chat vivant ou chat mort). Plus généralement, l'univers n'existe de manière réelle que parce qu'il est observé par des êtres intelligents, sinon il resterait dans un état quantique incertain et donc irréel (un chat à demi-vivant et à demi-mort)...

• La théorie des mondes multiples ou mondes parallèles que le physicien Hugh Everett (1930-1982) formule en 1957. On a toujours imaginé vivre dans le rêve de quelqu'un d'autre : cette interprétation de la mécanique quantique en fait une théorie, le chat est vivant dans un monde donné pour certains observateurs, il est mort dans un autre monde pour d'autres observateurs. D'un point de vue physique, cette interprétation est radicalement différente des deux premières en ce sens qu'elle nie la réduction du paquet d'ondes : il n'y a pas décohérence, les multiples états coexistent. Cette théorie des multivers (par opposition à l'univers) fait florès dans une certaine littérature, d'autant qu'elle y est souvent associée à l'espace-temps relativiste (chaque monde a sa place différente dans l'espace-temps...).

• La recherche toujours active d'une « théorie unifiée » (entre la physique quantique science de l'infiniment petit et la relativité science de l'infiniment grand) permettra peut-être de répondre à ces questions.

CHAPITRE 20

Les fractales de Mandelbrot

Le mathématicien français Benoît Mandelbrot, qui a fait toute sa carrière aux États-Unis, est l'inventeur du très riche concept des « courbes fractales ».

Ce chapitre mêle des éléments de géométrie (comment construire une courbe fractale ?) et de théorie des nombres (dénombrabilité d'un ensemble de Cantor).

Construction d'une fractale, la courbe de von Koch

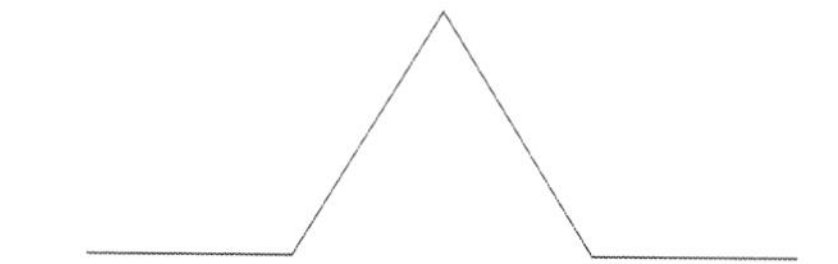

Figure 20.1 : Motif générateur transformant chaque segment dans la courbe de von Koch.

La courbe de von Koch, aussi appelée « courbe du flocon de neige », s'obtient en partant d'un triangle équilatéral, puis en ajoutant à chaque segment droit un chevron en son milieu. La deuxième étape, où chaque segment subit la transformation 20.1, est une étoile de David, et ainsi de suite.

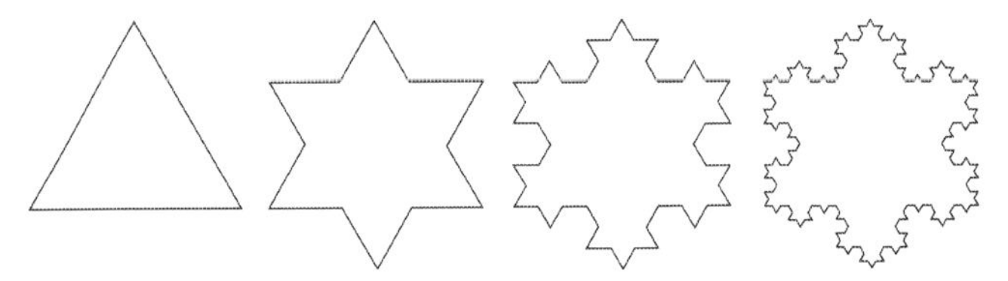

Figure 20.2 : Étapes successives de la courbe de von Koch.

Cette construction rappelle celle de l'approximation de π par les polygones inscrits dans le cercle (voir chapitre 7), mais avec une différence fondamentale : la construction décrite au chapitre 7 aboutit *in fine* au cercle, courbe connue et de longueur finie. La construction ci-dessus aboutit à ce qui peut être considéré comme une aberration mathématique :

• une courbe de longueur infinie (on voit aisément que le périmètre est multiplié par $\frac{4}{3}$ à chaque tour) ;

• une courbe délimitant une surface finie (égale à $\frac{8}{5}$ de celle du triangle initial).

Superficie du flocon de von Koch

La superficie délimitée par le flocon se calcule comme suit, c'est en fait une suite infinie à valeur finie (chapitre 3). Soit S(a) l'aire d'un triangle équilatéral de côté a (on a $S(a) = \frac{\sqrt{3}}{4}a^2$). Si l'on reprend les notations de la figure 20.2 (S_1 est la superficie de la courbe à la première étape, S_2 à la deuxième étape, etc.) :

$S_1 = S(a)$

$S_2 = S_1 + 3 \times S\left(\frac{a}{3}\right) = S(a) + \frac{3}{9} \times S(a)$

(on a ajouté trois chevrons, triangles équilatéraux de côté $\frac{a}{3}$, et $S\left(\frac{a}{3}\right) = \frac{S(a)}{9}$)

$$S_3 = S_2 + 12 \times S\left(\frac{a}{9}\right) = S_2 + \frac{12}{81} \times S(a) = S(a) + \frac{3}{9}S(a) + \frac{12}{81}S(a)$$

(sur chacun des 12 segments de la deuxième figure en 20.2 on a ajouté un triangle équilatéral de côté $\frac{a}{9}$)

Pour la figure fractale, on a par itération de cette formule une aire égale à :

$$S_\infty = S_1 \times \left(1 + \frac{3}{9} + \frac{12}{81} + \frac{48}{27^2} + \ldots\right) = S_1 \times \left(1 + \frac{3}{3^2} + \frac{4 \times 3}{3^4} + \frac{4^2 \times 3}{3^6} + \ldots\right)$$

$$\frac{S_\infty}{S_1} = \left(1 + \frac{3}{3^2} + \frac{4 \times 3}{3^4} + \frac{4^2 \times 3}{3^6} + \ldots\right) = 1 + \frac{3}{3^2} \times \left(1 + \frac{4}{9} + \frac{4^2}{9^2} + \frac{4^3}{9^3} + \ldots\right)$$

$$= 1 + \frac{1}{3} \times \left(\frac{1}{1 - \frac{4}{9}}\right) = 1 + \frac{3}{5} = \frac{8}{5}$$

La courbe de von Koch est donc une courbe de longueur infinie délimitant une surface d'aire finie. C'est par ailleurs une courbe continue partout, mais dérivable nulle part (on ne peut définir de tangente en aucun point de la courbe).

On peut trouver dans la nature des objets modélisables par des courbes fractales : la feuille de fougère (figure 20.3, page suivante), ou les côtes rocheuses (Mandelbrot cite souvent l'exemple de la côte de Bretagne, celle de la Norvège).

La courbe fractale, une dimension non entière !

La courbe de von Koch étant de longueur infinie, on pressent qu'elle occupe l'espace de manière plus dense qu'une courbe normale, c'est-à-dire une courbe simple de dimension 1 (comme un cercle ou une droite). Cependant, elle occupe moins d'espace qu'une surface elle-même de dimension 2 (comme l'intérieur d'un carré ou

Figure 20.3 : La feuille de fougère peut être modélisée par une courbe fractale.

d'un cercle), puisqu'elle reste une courbe (on parle bien de la courbe fractale elle-même et non de la surface qu'elle délimite).

On introduit pour la décrire la notion de dimension non entière (dite « dimension de Hausdorff »), comprise entre 1 et 2 dans le cas de la courbe de von Koch.

À l'inverse de certains romans de science-fiction, on n'est pas dans la quatrième dimension, ni dans l'espace-temps de la relativité, mais dans un espace de dimension compris entre 1 et 2 !

Introduisons pour une courbe – fractale ou non – les caractéristiques suivantes : P le facteur de similarité, Q le facteur d'homothétie.

Dans la courbe de von Koch, un segment donné, d'une étape à l'autre, se divise en 4 segments similaires, mais de longueur trois fois inférieure : le facteur de similarité est $P = 4$, le facteur d'homothétie[1] est $Q = 3$.

1. Il est théoriquement de $\frac{1}{3}$, mais pour des raisons de simplification d'écriture, nous prendrons par convention l'inverse du rapport d'homothétie dans l'ensemble du chapitre.

Prenons une surface non fractale, par exemple un carré, et divisons chacun de ses côtés en n petits segments en traçant le quadrillage correspondant :

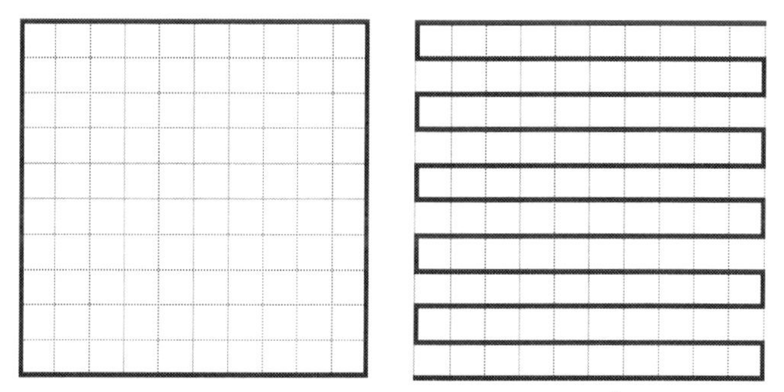

Figure 20.4a : Quadrillage d'un carré de côté 1 en n^2 carrés.
b : À droite, dénombrement pas à pas des n^2 carrés.

On a au départ un carré de côté 1, et après quadrillage n^2 petits carrés de côté $\frac{1}{n}$; le facteur de similarité est $P = n^2$, le facteur d'homothétie est $Q = n$. On a donc $Q = n = \sqrt{P} = P^{\frac{1}{2}}$; la même opération pour un cube donnerait $Q = n = \sqrt[3]{P} = P^{\frac{1}{3}}$; pour un parallélépipède dans un espace euclidien de dimension D, on a par extension $Q = P^{\frac{1}{D}}$, soit $Q^D = P$, et $D = \frac{\text{LogP}}{\text{LogQ}}$.

Cela signifie que la dimension d'un objet peut s'exprimer comme le rapport entre les logarithmes du facteur de similarité et du facteur d'homothétie.

On vérifie bien au passage la dimension deux du carré

$$D = \frac{\text{LogP}}{\text{LogQ}} = \frac{\text{Log}(n^2)}{\text{Log}(n)} = 2$$

La courbe de von Koch ne se construit pas de façon aussi régulière par quadrillage, mais par formage de chaque segment suivant la figure 20.1. On définit par analogie sa dimension comme $D = \frac{\text{Log}4}{\text{Log}3} = 1{,}26$. Elle est supérieure à 1, il y a en quelque sorte « création de matière », puisque apparaît une excroissance à l'intérieur de chaque segment. Cette dimension « fractionnaire » a donné leur nom aux courbes fractales.

La dimension déduite des facteurs de similarité et d'homothétie se retrouve aussi en mesurant la longueur d'une courbe fractale par pas successifs de plus en plus petits. Mesurons le côté gauche du triangle équilatéral de la figure 20.2 dans ses transformations successives, avec des règles de plus en plus petites :

- Avec une règle de longueur 1, on mesure L_0 (longueur du côté).
- Avec une règle de longueur $\frac{1}{3}$, dans la deuxième étape, on mesure $\frac{4}{3} L_0$.
- En généralisant, $L(\frac{a}{3}) = \frac{4}{3} \times L(a)$, L(a) étant la longueur mesurée avec une règle de longueur a.

Cela nous donne pour L(a) la solution

$$L(a) = \frac{a}{a^{\left(\frac{\text{Log}4}{\text{Log}3}\right)}} \times \text{constante} \qquad (1)$$

On vérifie en effet en appliquant *(1)* :

$$L\left(\frac{a}{3}\right) = \frac{\frac{a}{3}}{\left(\frac{a}{3}\right)^{\left(\frac{\text{Log}4}{\text{Log}3}\right)}} = L(a) \times \frac{3^{\left(\frac{\text{Log}4}{\text{Log}3}\right)}}{3} = L(a) \times \frac{e^{\left(\frac{\text{Log}4}{\text{Log}3} \times \text{Log}3\right)}}{3}$$

$$= L(a) \times \frac{4}{3}$$

Généralisons la formule *(1)* ci-dessus : $L(a) = \frac{a}{a^D} \times \text{constante}$

Sachant que $L(L_0) = L_0$, on a : $L(a) = \frac{a}{a^D} \times L_0^D$

$$\frac{L(a)}{a} = \left(\frac{L_0}{a}\right)^D \qquad (2)$$

Le rapport $\frac{L(a)}{a}$ est égal au nombre de pas nécessaires pour mesurer la longueur d'une courbe fractale avec une règle de longueur a : appelons cette fonction $P_{fractale}$. À droite de l'égalité, le rapport $\frac{L_0}{a}$ est le nombre de pas nécessaires pour mesurer la longueur L_0 d'un segment avec une règle de longueur a : appelons cette fonction $P_{segment}$.

La relation *(2)* peut s'écrire :

$$\mathbf{P}_{fractale} = (\mathbf{P}_{segment})^D \qquad (3)$$

Dans les deux relations *(2)* et *(3)* ci-dessus, D apparaît comme une grandeur intrinsèque à la courbe fractale : le nombre de pas $\frac{L_0}{a}$ nécessaires à la mesure d'une courbe non fractale de dimension 1 (segment) se « densifie à la puissance D » lorsqu'il s'agit de mesurer pas à pas une courbe fractale. C'est une autre interprétation de la dimension D de la courbe fractale.

D'autres exemples de courbes fractales

Le motif générateur de la courbe fractale peut être différent du motif en triangle équilatéral (*cf.* figure 20.1).

Figure 20.5 : Autre motif générateur d'une courbe fractale
(P = 8, Q = 4, D = $\frac{\text{Log}8}{\text{Log}4}$ = 1,5).

On peut aussi « générer de la matière fractale » avec des triangles non équilatéraux, comme le montrent les figures ci-dessous :

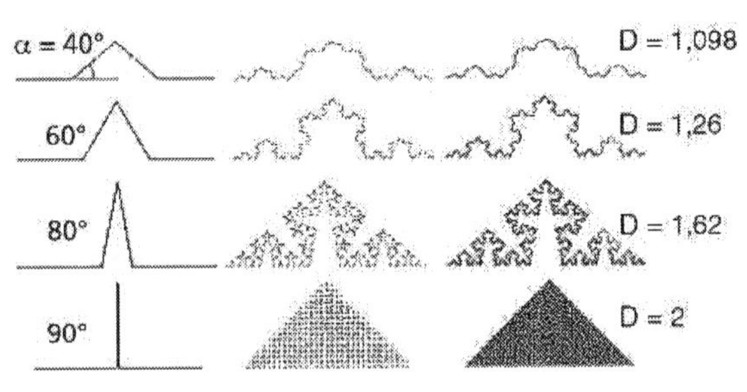

Figure 20.6 : Génération de courbes fractales par des triangles d'angles variés.

Dans le cas de cette figure, on a toujours le facteur de similarité P = 4 (un segment se transforme en quatre segments) et le facteur d'homothétie Q se calcule facilement comme égal à $2 \times (1 + \cos\alpha)$ (pour $\alpha = 60°$ on retrouve Q = 3).

On calcule donc la dimension $D = \dfrac{\text{Log}4}{\text{Log}[2 \times (1 + \cos\alpha)]}$, ce qui conduit aux valeurs indiquées sur la droite de la figure 20.6.

Le dernier cas, qui est un cas limite, est intéressant car cette formule donne, pour $\alpha = 90°$, une dimension $D = 2$; dans ce cas, comme on le devine sur la figure, la courbe fractale est tellement dense qu'elle finit par s'assimiler à une surface de dimension 2, à savoir l'aire du triangle qui la circonscrit.

L'ensemble de Cantor, ou une fractale de dimension inférieure à 1

Dans la courbe de von Koch, on prend un segment et on le « densifie » (on crée de la matière), ce qui conduit à une courbe de dimension supérieure à 1 ; dans le cas qui suit, on prend un segment et on l' « évide », en retirant son tiers médian, et en répétant l'opération, ce qui va conduire à un ensemble de dimension inférieure à 1.

• Le facteur de similarité est P = 2 : à chaque étape un segment donné se transforme en deux segments.

• Le facteur d'homothétie est Q = 3 : chaque segment d'une étape donnée est trois fois plus petit que chaque segment de l'étape précédente comme dans la courbe de von Koch.

• La dimension est $D = \frac{\text{Log}2}{\text{Log}3} = 0{,}6309\ldots$, soit une dimension inférieure à 1.

On utilise le terme d'« ensemble de points » car ce n'est plus une courbe (on ne peut plus suivre son tracé) . C'est un ensemble sans longueur, un tel ensemble de points est qualifié de « poussière ».

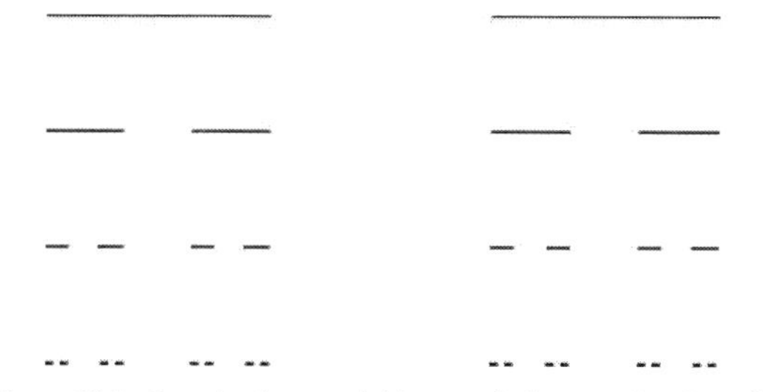

Figure 20.7 : Constitution par évidement de la poussière fractale dite « Ensemble de Cantor ».

Cherchons le cardinal de l'ensemble de Cantor C, au sens du chapitre 2. Pour nous le représenter de manière plus simple au sein du segment [0,1], nous introduisons l'écriture dite « triadique » des nombres de ce segment.

• Elle correspond à une écriture en base 3 de ces nombres en lieu et place d'une écriture décimale ; par exemple 0,2012 (écriture triadique) = $\frac{2}{3} + \frac{0}{9} + \frac{1}{27} + \frac{2}{81}$ soit en base 10 le décimal 0,728395... On admettra que, comme les entiers qui peuvent s'écrire en base 3 comme en base 10, l'ensemble des nombres réels compris entre 0 et 1 peut lui aussi s'écrire en base 3 comme en base 10. C'est assez intuitif puisque le segment [0,1] ou les entiers naturels ont une réalité indépendante de leur description en base 3 ou en base 10, cette description étant une convention.

• La première étape de Cantor (on enlève le segment central) consiste à enlever les nombres triadiques qui ont 1 comme premier chiffre après la virgule : le segment de gauche correspond aux nombres triadiques de la forme 0,0xxx... (inférieurs à $\frac{1}{3}$ en écriture décimale) et le segment de droite aux nombres triadiques de la forme 0,2xxx... (supérieurs à $\frac{2}{3}$ en écriture décimale).

• À la deuxième étape, on enlève les nombres triadiques de la forme 0,01xxx... et 0,21xxx... soit les nombres ayant 1 comme deuxième chiffre après la virgule (on enlève les nombres qui en écriture décimale sont compris entre $\frac{1}{9}$ et $\frac{2}{9}$, et entre $\frac{7}{9}$ et $\frac{8}{9}$).

• Après itération du processus, on voit que l'ensemble de Cantor est composé des nombres ne possédant pas le chiffre 1 dans leur écriture triadique.

Le paragraphe précédent montrait que l'ensemble était excessivement raréfié, nous l'avons qualifié de « poussière de points ». On voit maintenant que les choses sont plus compliquées, puisque cette poussière de points comprend l'ensemble des triadiques s'écrivant avec des 0 et des 2, excluant simplement l'ensemble des triadiques s'écrivant avec un 1 au moins.

En écriture triadique, qui est une simple convention comme l'écriture décimale et n'a pas d'influence sur le cardinal d'un ensemble, on voit donc que la poussière de Cantor contient « deux fois plus d'éléments » que ce qu'on a retiré !

De manière rigoureuse, on peut montrer que l'ensemble ou poussière de Cantor C est en bijection de dénombrabilité avec le segment [0,1] entier, dénombrabilité au sens du chapitre 2.

• Pour ce faire, on prend un nombre quelconque de C soit 0,20220... (triadique écrit avec des 2 et des 0 puisqu'il ne contient pas le chiffre 1) et on lui associe le dyadique (nombre réel compris entre 0 et 1 et écrit en base 2) composé en remplaçant tous les 2 par des 1.

• À titre d'exemple, le nombre triadique de C 0,020202... (répétition du motif 02 à l'infini) – qui est égal à $\frac{2}{3^2} + \frac{2}{3^4} + \frac{2}{3^6} + \frac{2}{3^8} \ldots = 0{,}25$ en écriture décimale[1] – est associé dans le segment [0,1] au nombre dyadique 0,010101... ... (répétition du motif 01 à l'infini) – qui est égal à $\frac{1}{2^2} + \frac{1}{2^4} + \frac{1}{2^6} + \frac{1}{2^8} \ldots = \frac{1}{3}$ en écriture décimale[2]. Peu importe que les deux nombres décimaux ne soient pas égaux, on démontre simplement ainsi que l'ensemble de Cantor C (nombres triadiques sans 1) est en correspondance biunivoque avec le segment [0,1].

On arrive donc au résultat étonnant que la poussière de Cantor C a un cardinal transfini de type $\aleph_1$ (voir chapitre 2) : le segment initial [0,1], la poussière de Cantor C, l'ensemble complémentaire de C constitué par les points qui ont été enlevés, sont trois ensembles ayant même cardinal $\aleph_1$, c'est-à-dire même nombre d'éléments.

La poussière de Cantor a la puissance du continu, bien qu'elle soit de mesure nulle.

---

1. Ce calcul est assez simple, analogue à ceux développés en chapitre 3, on pose $A = \frac{2}{3^2} + \frac{2}{3^4} + \frac{2}{3^6} + \frac{2}{3^8} \ldots$, et on multiplie par 9 : $9 \times A = 2 + A$, donc $A = 0{,}25$.

2. Même type de calcul $4 \times A = 1 + A$, donc $A = \frac{1}{3}$.

CHAPITRE 21

Le chaos déterministe

Sur le déterminisme :
Une intelligence qui, pour un instant donné, connaîtrait toutes les forces dont la nature est animée [...] embrasserait dans la même formule les mouvements des plus grands corps de l'univers et ceux du plus léger atome : rien ne serait incertain pour elle, et l'avenir comme le passé serait présent à ses yeux.

P. S. DE LAPLACE, *Essai philosophique sur les probabilités*, 1814

Sur le chaos :
Pourquoi les météorologistes ont-ils tant de peine à prédire le temps avec quelque certitude ? [...] un dixième de degré en plus ou en moins en un point quelconque, le cyclone éclate ici et non pas là [...] Ici encore nous retrouvons le même contraste entre une cause minime, inappréciable pour l'observateur et des effets considérables, qui sont parfois d'épouvantables désastres.
Une cause très petite, qui nous échappe, détermine un effet considérable que nous ne pouvons pas ne pas voir, et alors nous disons que cet effet est dû au hasard.

Henri POINCARÉ, *Science et méthode*, Flammarion, 1908[1]

Ces phrases d'Henri Poincaré (1854-1912) – empreintes du style si particulier et très littéraire qu'avaient les savants français jusqu'au début du XXe siècle, dans leurs ouvrages de vulgarisation mais aussi dans leurs articles scientifiques – sont réellement visionnaires. Comme pour la relativité générale, il faudra attendre une bonne cinquantaine d'années avant qu'elles ne trouvent une vérifica-

1. Cité dans bibliographie [44], ainsi que les citations suivantes de ce chapitre.

tion grâce aux premiers ordinateurs, ouvrant un domaine de recherche nouveau à partir des années 1960.

1961, le chaos se révèle dans la météorologie

Edward Lorenz[1] (né en 1917) était chercheur en météorologie au Massachusetts Institute of Technology (MIT) et, de manière tout à fait fortuite, alors qu'il faisait tourner ses ordinateurs[2], il souhaita reprendre à mi-course sa simulation interrompue accidentellement, sans avoir à recommencer au début.

Il réinjecta ainsi dans le modèle ses résultats à mi-course, pensant faire vérification utile pour la deuxième partie du calcul et surtout poursuivre au-delà le calcul de simulation du modèle initial.

Or, à sa grande surprise, malgré une certaine conjonction initiale des deux résultats, ceux du second modèle s'écartaient très rapidement de ceux du premier modèle.

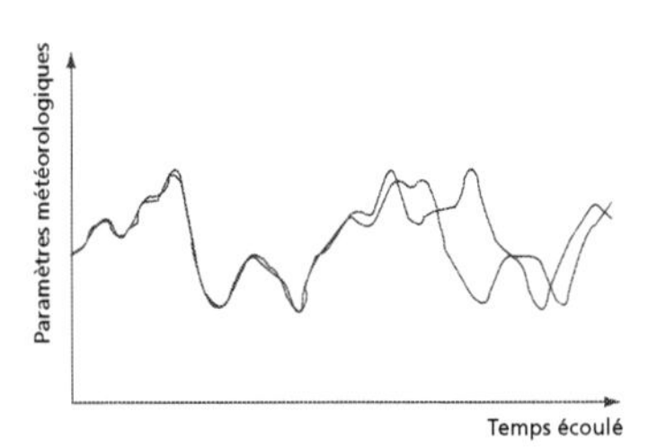

Figure 21.1 : Légère variation des conditions initiales à mi-parcours dans le modèle de Lorenz.

1. À ne pas confondre avec Hendrik Lorentz (1853-1928), mathématicien néerlandais, prix Nobel de physique 1912, président du congrès Solvay (voir chapitre 18).
2. Les ordinateurs de l'époque fonctionnaient un million de fois moins vite que nos ordinateurs actuels : gagner du temps-machine dans une exploitation de programme était fondamental. Il n'est pas certain que cette découverte fortuite aurait pu se produire de nos jours !

Cette divergence était due à une légère variation des conditions initiales dans son second calcul. En effet, en réinjectant pour préparer son second calcul les résultats à mi-course du premier, Lorenz avait fait un léger arrondi : il avait remis en conditions initiales à mi-course les résultats des variables avec trois chiffres après la virgule, alors que l'ordinateur conservait en mémoire six chiffres après la virgule...

Lorenz publie en 1963 son système d'équations différentielles, qui correspond à un modèle simplifié de convection thermique :

$$\frac{dX}{dt} = a(Y - X)$$

$$\frac{dY}{dt} = -XZ + cX - Y \qquad (1)$$

$$\frac{dZ}{dt} = XY - bZ$$

• Ce système différentiel n'est pas linéaire, il comprend deux termes dits « quadratiques » en XZ et XY dans les deuxième et troisième équations. On ne peut lui trouver de solution mathématique exacte (système non intégrable) malgré sa simplicité apparente ; les seules solutions possibles sont des solutions approchées par ordinateur.

• C'est un modèle de convection thermique décrivant dans le temps l'ascension de masses d'air chauffées par la Terre et la descente de masse d'air froides en altitude. X est l'amplitude du mouvement de convection, Y la différence de température entre courants ascendants et descendants, Z l'écart entre la valeur de la température et celle donnée par un modèle linéaire où elle décroît linéairement en fonction de l'altitude.

• Pour $0 < c < 1$, le gradient de température Y est quasi nul, le système converge rapidement vers un système linéaire ($Z = 0$) ; pour $1 < c < 24$, le système se stabilise en rotations autour de points fixes (courants ascendants) ; pour $c > 24$, le système devient chaotique.

Des systèmes déterministes et pourtant chaotiques

Cet exemple permet de définir sommairement le chaos, à savoir une très forte sensibilité aux conditions initiales : une petite variation de ε (une variation « epsilonnesque » ou infinitésimale) dans les conditions initiales provoque un énorme changement dans le résultat. Pour ces systèmes, il n'y a pas de hasard bénin, une petite variation initiale liée au hasard peut avoir d'énormes conséquences. Ce qu'on a popularisé dans le domaine de la météorologie par la fameuse phrase : « Le battement d'ailes d'un papillon en Afrique du Sud peut provoquer un ouragan au Texas. »

Le système différentiel *(1)* présente les caractéristiques suivantes.

• C'est un système insoluble, on ne sait pas trouver les solutions exactes X, Y, Z en fonction du temps ; on peut simplement s'en approcher par des calculs longs et fastidieux (analogues au programme d'ordinateur de Lorenz, avec des outils de calcul et des programmes largement perfectionnés depuis).

• C'est pourtant un système parfaitement déterministe : si l'on connaît les conditions initiales X_0, Y_0, Z_0, il n'y a aucune incertitude sur les valeurs X (t), Y (t), Z (t). Ce qu'Ekeland (bibliographie [32]) a symbolisé par la jolie phrase : « Un système d'équations différentielles donne l'impression que l'éternité est enfermée dans le temps présent. » Ce pourrait être la définition du déterminisme en science, complémentaire de la définition de Laplace en exergue du présent chapitre.

• Dans la nature, en météorologie certes mais en physique en général, il est très difficile de connaître précisément les valeurs initiales X_0, Y_0, Z_0 : elles sont toujours liées à la précision d'un instrument de mesure. Ce qui a peu d'impact dans un système traditionnel (hasard bénin) prend dans ce type de système une importance incommensurable.

On ne peut donc pas prévoir avec la précision que l'on souhaite ce type de phénomènes à long terme : c'est un système déterministe et pourtant non prédictible. Le nom de « chaos déterministe » lui a été donné.

Exemples de systèmes chaotiques : le billard convexe

Sur un billard convexe, une boule qui arrive sur un des obstacles ronds avec un angle α repart avec un angle 2α, à la différence du choc avec les bandes du bord où l'angle est conservé. Il est facile de voir qu'une impulsion donnée par la queue de billard à la boule avec un angle $\alpha + \varepsilon$ au lieu de α ($\varepsilon << \alpha$) a des conséquences exponentielles : l'angle de dérive au bout de n chocs sur les obstacles convexes est $2n\varepsilon$, il est rapidement beaucoup plus grand que α, la boule ne rencontre plus les mêmes obstacles, les trajectoires d'angle de départ $\alpha + \varepsilon$ n'ont plus rien à voir avec les trajectoires d'angle de départ α. C'est un système chaotique.

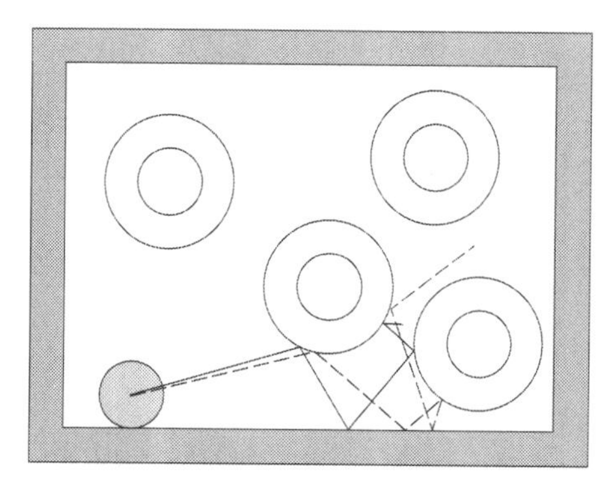

Figure 21.2 : Trajectoires sur un billard convexe.
La boule part du coin inférieur gauche, et son centre suit la trajectoire continue. Si elle est lancée avec un angle légèrement différent, elle suit la trajectoire en pointillés. Après quelques collisions, les deux trajectoires n'ont plus rien à voir entre elles : on voit par exemple que la trajectoire pointillée évite un obstacle que la trajectoire pleine rencontre.

Un autre système cité par Ekeland (bibliographie [32]) est « le pantin du musée de la Rue Berthoud » : un automate tournant dans un sens ou dans l'autre suivant le sable qui s'écoule dans les godets qu'il tient au bout de ses membres. On voit, et on démontre, que le nombre de tours du pantin dans un sens ou dans l'autre est aléatoire, le système est chaotique.

Le plan de Poincaré des orbites stellaires

De fait, les travaux publiés en 1963 par Lorenz ne suscitèrent pas d'émules, ce n'est que plus tard (1971) que le mathématicien David Ruelle reprit ces travaux dans le contexte de la turbulence des fluides et fit le lien avec les travaux précurseurs de Poincaré.

Henri Poincaré n'avait pas travaillé sur le billard convexe ni sur l'automate, ce n'était pas le style des mathématiciens de l'époque et encore moins le sien. Il n'avait pas travaillé non plus sur la météorologie, dont le développement théorique était rudimentaire à l'époque ; il avait – intuition géniale – anticipé les possibles applications du chaos à la météorologie (*cf.* les phrases en exergue du présent chapitre).

Mais s'il y avait un sujet sur lequel Henri Poincaré avait travaillé en profondeur dès 1889 pour développer la théorie du chaos, c'est bien le « problème des trois corps » en astronomie, un des problèmes les plus difficiles de la physique mathématique. Résoudre les équations de la loi de gravitation de Newton pour deux corps qui s'attirent entre eux, un astre et une planète, est aisé ; à partir de trois corps – c'est la réalité du système solaire puisque plusieurs planètes entrent en jeu – la résolution est quasi impossible.

Le problème des trois corps est un système différentiel quadratique analogue au système de Lorenz *(1)* ci-dessus. Nous ne l'exposons pas, mais en résumons la discussion.

C'est un système insoluble en règle générale ; les méthodes de résolution par approximation par des suites à développement infini sont inefficaces car les suites divergent (c'est une caractéristique d'un système chaotique).

• Poincaré remarque que si l'on coupe la trajectoire de la planète par un plan contenant l'axe de la trajectoire (*cf.* figure 21.3), l'étude des impacts de la trajectoire sur ce plan est soluble. À défaut de pouvoir étudier la trajectoire dans l'espace à trois dimensions, il ramène le problème sur un plan à deux dimensions, dit « plan de coupe de Poincaré ».

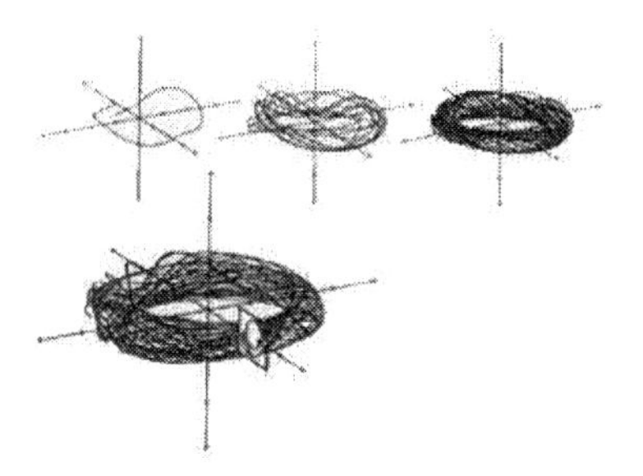

Figure 21.3 : Le plan de coupe de Poincaré.

Il montre qu'il existe des solutions périodiques (cela signifie qu'à terme, en régime de croisière, le corps décrit la même trajectoire[1]), ou quasi périodiques.

C'est là un résultat important : dans tout système chaotique, il existe des solutions périodiques ou quasi périodiques. Or, pour une trajectoire périodique qui est solution du système, la moindre modification de ses conditions initiales conduit à un système chaotique ! Il y a instabilité totale des solutions « normales », les solutions périodiques : une mathématique parfaitement déterministe donne lieu à une physique de nature totalement chaotique[2].

1. Solution particulière au problème des trois corps, dans ce cas analogue à celui des deux corps (la planète décrit une orbite régulière).
2. Cela fit dire à Poincaré que les équations de Newton renferment une part de vérité qui nous restera toujours inaccessible, puisque nous n'en pouvons trouver la solution !

Trajectoires fractales – attracteur de Lorenz

Poincaré établit donc que, pour une solution périodique donnée, *aussi petite* soit la perturbation initiale, on peut être sur une trajectoire chaotique.

• On retrouve là la définition d'un ensemble dense (au sens du chapitre 2, puissance du continu, et du chapitre précédent) : quelle que soit la trajectoire aux conditions initiales X_0 et périodique, et quel que soit ε aussi petit que l'on veut, on trouve X_1, avec $X_0 < X_1 < X_0 + \varepsilon$, tel qu'aux conditions initiales X_1 la trajectoire est chaotique.

• L'ensemble des trajectoires chaotiques est dense dans l'ensemble des solutions possibles ; c'est aussi le cas de l'ensemble des trajectoires périodiques. On retrouve le résultat de l'ensemble de Cantor du chapitre précédent, où deux ensembles complémentaires (la poussière de Cantor et son complémentaire) sont denses dans le segment [0,1].

Il a été de fait établi que le plan de coupe pouvait s'assimiler à un ensemble de Cantor, c'est-à-dire une poussière de points pourtant dense :

• un ensemble dense constitué par les points de l'ensemble de Cantor (par exemple l'ensemble des trajectoires stables ou quasi stables) et un ensemble dense constitué par les points du complémentaire de l'ensemble de Cantor (par exemple l'ensemble des trajectoires chaotiques) ;

• et surtout, aussi près qu'on le souhaite d'un point d'un des deux ensembles, on trouve un point de l'autre ensemble !

Quant à la résolution du système *(1)* ci-dessus, qu'on ne peut effectuer que par ordinateur, elle conduit à la courbe dite « attracteur de Lorenz » :

• La trajectoire en fonction du temps est chaotique car elle passe de manière totalement aléatoire d'un demi-plan à l'autre : on ne peut prévoir dans le temps si la courbe va aller, ni combien de temps elle reste, sur chacune des deux ailes : à partir d'un point de départ O, elle reste pendant m_1 tours dans le même demi-plan, puis

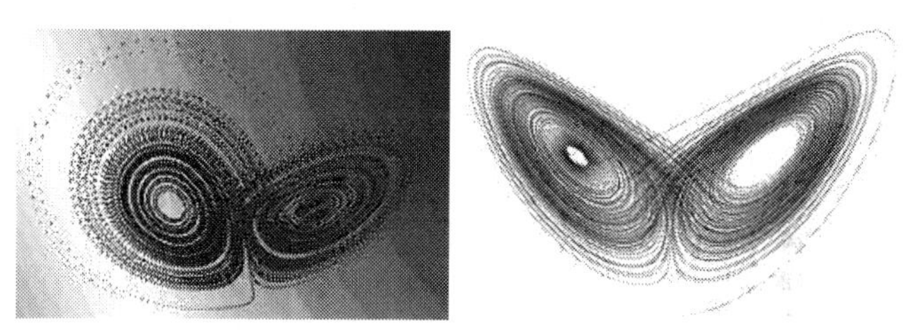

Figure 21.4 : Représentation informatique de l'attracteur de Lorenz, attracteur des solutions du système *(1)*, avec a = 10, b = $\frac{8}{3}$, c = 28.

passe à l'autre demi-plan pendant n_1 tours, etc. ; à partir d'un point de départ O′ très voisin de O elle reste pendant m'_1 tours dans le même demi-plan, puis n'_1 tours dans l'autre... ($m_1 \neq m'_1$, $n_1 \neq n'_1$).

• L'allure globale de toutes les trajectoires en régime de croisière de calcul de l'ordinateur, si l'on efface le début des trajectoires, s'apparente à la courbe 21.4, appelée « attracteur » car elle attire les trajectoires quelles que soient les conditions initiales.

Cela reste toutefois un système totalement chaotique, même si les trajectoires sont attirées vers une courbe qui donne l'impression factice de « donner la solution ».

• Ce n'est pas une courbe pleine comme les trajectoires de pendules (problème à un corps) ou de planètes (quand on le calcule suivant deux corps)[1] ; les trajectoires ne font que s'approcher de la trajectoire-cible.

• Ce n'est pas non plus un cycle limite comme dans les solutions quasi périodiques du problème à trois corps : deux trajectoires T_1 et T_2 tendent en effet toujours vers l'attracteur, mais elles continuent à rester aléatoires sur les deux demi-plans, T_1 faisant un certain nom-

1. On démontre qu'il n'existe pas de chaos dans des systèmes en dessous de trois corps (système en X uniquement ou en X, Y, même s'ils sont quadratiques avec des termes en XY).

bre de tours sur P_1 puis sur P_2 tout en suivant l'attracteur, et T_2 faisant un nombre différent de tours sur P_1 puis sur P_2 tout en suivant l'attracteur !

• Ce qu'on visualise à un moment donné n'est pas l'attracteur, mais son ébauche : il faudrait laisser l'ordinateur développer la solution pendant un temps infini permettant à une trajectoire donnée de passer par tous les méandres de l'attracteur. La seule façon de le décrire, c'est de dire qu'il ressemble aux deux ailes de papillon de la figure 21.4.

• L'attracteur n'est pas une courbe pleine, on démontre que c'est – comme dans le plan de Poincaré des orbites stellaires – une courbe fractale de dimension inférieure à 1 de type ensemble de Cantor : chaque trajectoire occupe une infinité de points infiniment proches de l'attracteur.

L'homme dans le chaos

Dans la continuité du travail de Poincaré sur le problème des trois corps, la théorie du chaos est un des domaines actuels les plus fructueux de la recherche en astronomie et en astrophysique.

Le système solaire est de nature chaotique : on ne vit pas dans un système quasi stable tel que le voyait Laplace dans son fameux *Traité de mécanique céleste*.

Jacques Laskar, du Bureau des longitudes (Observatoire de Paris)[1], a montré en 1989 que pour les planètes intérieures (Mars, Terre, Vénus et Mercure), une incertitude de 100 m sur « la position initiale » se traduit par une incertitude d'1 milliard de km au bout de 100 millions d'années !

Vénus est la seule planète à tourner sur elle-même dans le sens contraire des autres planètes, comme on l'a vu au chapitre 16 : on

1. Déjà dans ce même Observatoire de Paris, Römer faisait les premières mesures de vitesse de la lumière et Arago ses premières expériences (chapitre 13).

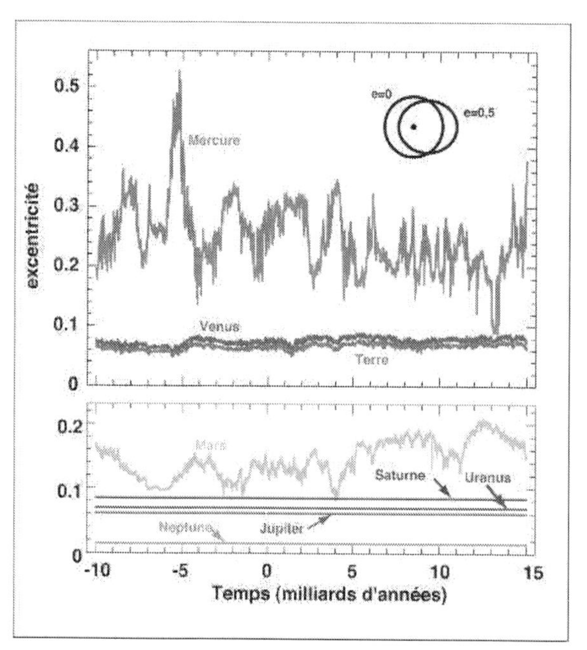

Figure 21.5 : Reconstitution de l'excentricité de la trajectoire des planètes (crédits Jacques Laskar, CNRS/Observatoire de Paris).

envisage qu'elle ait pu se renverser au cours de son existence, sous l'effet du caractère chaotique de sa trajectoire.

La trajectoire de Mercure, telle qu'elle a été projetée sur ordinateur sur une période allant de – 10 milliards d'années à + 15 milliards d'années, laisse observer une excentricité[1] de l'ellipse variant

1. L'excentricité d'une ellipse (lieu des points tels que MF + MG = Constante, F et G étant appelés foyers de l'ellipse) est définie comme le rapport entre la distance entre les deux foyers et deux fois la valeur du grand axe (largeur de l'ellipse). Une ellipse à excentricité nulle est un cercle (deux foyers confondus au centre) ; une ellipse à excentricité 0,5 correspond déjà à une forme très différente d'un cercle.

de 0,1 à 0,5 ; c'est énorme, et Mercure peut en conséquence entrer en collision avec Vénus, ce qui aurait comme on l'imagine des conséquences funestes sur le système solaire ; elle pourrait aussi être éjectée du système solaire !

Bibliographie

Arithmétique, théorie des nombres

[1] Marcel Boll, *Les étapes des mathématiques,* « Que sais-je ? », PUF, 6e édition 1952.

[2] Jean-Paul Delahaye, *Merveilleux nombres premiers*, « Pour la science », Belin, 2000.

[3] Jean Itard, *Arithmétique et théorie des nombres,* « Que sais-je ? », PUF, 3e édition 1973.

[4] Simon Singh, *Le dernier théorème de Fermat*, 1997, traduction française J.C.Lattès, 1999.

[5] Norbert Verdier, *L'infini en mathématiques*, Dominos, Flammarion, 1997.

Géométrie

[6] Marius Cleyet-Michaud, *Le nombre d'or,* « Que sais-je ? », PUF, 12e édition 2002.

[7] Jean-Paul Delahaye, *Le fascinant nombre Pi,* « Pour la science », Belin, 1997.

[8] René Descartes, *La géométrie*, 1637, Éditions Jacques Gabay, 1991.

Logique-théorème de Gödel

[9] Jacques Bouveresse, *Prodiges et vertiges de l'analogie,* Éditions Raison d'agir, 1999.

[10] Michel Combes, *Fondements des mathématiques,* PUF, Initiations philosophiques, 1971.

[11] Kurt Gödel, Ernst Nagel, James Newman, *Le théorème de Gödel*, New York University Press 1958, Seuil, 1989 pour l'édition française, avec Jean-Yves Girard.

Probabilités

[12] Louis BACHELIER, *Le Jeu, la Chance et le Hasard,* 1914, Éditions Jacques Gabay, réédition 1993.
[13] Jean-Louis BOURSIN, *Comprendre les probabilités*, Armand Colin, 1989.
[14] Pierre-Simon de LAPLACE, *Essai philosophique sur les probabilités*, cinquième édition 1825, réédition Christian Bourgois, 1986.

Vitesse de la lumière-Théorie de la relativité

[15] Olivier COSTA DE BEAUREGARD, *La notion de temps, Équivalence avec l'espace,* Vrin, 2e édition 1983.
[16] Jean EISENSTAEDT, *Einstein et la relativité générale, Les chemins de l'espace-temps,* CNRS Éditions, 2002.
[17] Jean EISENSTAEDT, *Avant Einstein, Relativité, lumière, gravitation,* Seuil, collection « Science ouverte », 2005.
[18] Albert EINSTEIN, *La relativité*, Gauthier-Villars 1956, Petite Bibliothèque Payot.
[19] André ROUGÉ, *Introduction à la théorie de la relativité,* Éditions de l'École polytechnique, 2001.
[20] Bertrand RUSSELL, *ABC de la relativité*, 1925, édition française 10/18, 1985.

Astronomie-Cosmologie

[21] Stephen HAWKING, *Une brève histoire du temps*, Bantam Book, New York 1988, Flammarion, 1989.
[22] Trinh Xuan THUAN, *Le chaos et l'harmonie*, Fayard, 1998.
[23] Steven WEINBERG, *Les trois premières minutes de l'Univers*, Basic Books, New York, 1977, Seuil, 1978.

Physique quantique

[24] Alain ASPECT *et al.*, *Einstein aujourd'hui*, CNRS Éditions et EDP Sciences, Paris, 2005.
[25] Jean-Louis BASDEVANT, Jean DALIBARD, *Mécanique quantique,* Éditions de l'École polytechnique, 2001.
[26] Stéphane DELIGEORGES (sous la direction de), *Le monde quantique*, Seuil Points Sciences, Sciences & Avenir, 1984.
[27] Étienne KLEIN, *Petit voyage dans le monde des quanta*, Champs Flammarion, Paris, 2000.

Radioactivité

[28] Jean-Louis BASDEVANT, *Henri Becquerel à l'aube du XXe siècle*, Éditions de l'École polytechnique, Palaiseau, 1996.
[29] Jean-Marc CAVEDON, *La radioactivité*, Dominos Flammarion, 1996.
[30] Site consacré à Marie Curie, http://www.mariecurie.science.gouv.fr, réalisé en coproduction entre le ministère de la Recherche et l'université Paris-VIII, auteurs H. LANGEVIN, P. RADVANYI, C. DE LA VAISSIÈRE.

Théorie du chaos-Fractales

[31] (Sous la direction de) A. DAHAN-DALMÉDICO, J.L. CHABERT, K. CHEMLA, *Chaos et déterminisme*, Seuil Points Sciences, 1992.
Voir notamment articles de A. DOUADY et P. BERGÉ, et de J. LASKAR.
[32] Ivar EKELAND, *Le Chaos*, Dominos Flammarion, 1995.
[33] Benoît MANDELBROT, *Les objets fractals*, Champs Flammarion, 4e édition 1995.
[34] Bernard SAPOVAL, *Universalités et fractales*, Champs Flammarion, 1997.

Ouvrages généraux (mathématiques)

[35] Philip J. DAVIS, Reuben HERSCH, *L'univers mathématique*, Birkhaüser, Boston, 1982, Bordas, Gauthier-Villars, 1985.
[36] Albert DUCROCQ, André WARUSFEL, *Les mathématiques, plaisir et nécessité*, Vuibert, Points Sciences, 2000.
[37] Bertrand HAUCHECORNE, Daniel SURATTEAU, *Des mathématiciens de A à Z*, Ellipses, 1996.
[38] Société mathématique de France (sous la dir. de Jean-Michel KANTOR), *Où en sont les mathématiques ?*, Vuibert, 2002.

Ouvrages généraux (physique)

[39] Jean-Louis BASDEVANT, *Principes variationnels et dynamique*, Vuibert, 2005.
[40] Bernard DIU, *Traité de physique à l'usage des profanes*, Odile Jacob, 2001.
[41] Michel RIVAL, *Les grandes expériences scientifiques*, Seuil Points Sciences, 1996.
[42] David RUELLE, *Hasard et chaos*, Odile Jacob, 1991.
[43] Erwin SCHRÖDINGER, *Physique quantique et représentation du monde*, textes de 1951 et 1935, 1re édition française 1954, Seuil Points Sciences, 1992.
[44] Hervé ZWIRN, *Les limites de la connaissance*, Odile Jacob, 2000.

Index des principaux noms cités

(par ordre chronologique)

Les principaux noms cités le sont ici par ordre chronologique d'année de naissance, ce afin de montrer quels scientifiques étaient contemporains.

THALÈS (Milet 625 av. J.-C.- 547 av. J.-C.) Mathématicien grec *; théorème de Thalès.*

PYTHAGORE (Samos 569 av. J.-C.- 500 av. J.-C.) Mathématicien grec *; théorème de Pythagore, gamme musicale.*

EUCLIDE (Grèce 330 av. J.-C.- 275 av. J.-C.) Mathématicien grec ; *les fondements de la géométrie euclidienne ; la division euclidienne en arithmétique.*

ARCHIMÈDE (Syracuse 287 av. J.-C.- 212 av J.-C.) Mathématicien ; *approximation de Π, spirale d'Archimède.*

Leonardo **FIBONACCI** (Pise 1180-1250) (I) Mathématicien italien ; *les suites de Fibonacci convergeant vers le nombre d'or.*

Galileo **GALILEI** (Pise 1564-Florence 1642) (I) Mathématicien, physicien et astronome italien ; *héliocentrisme, relativité des repères.*

Père Marin **MERSENNE** (Oizé 1588-Paris 1648) (F) Mathématicien français ; *arithmétique, nombres de Mersenne, nombres parfaits.*

Pierre de **FERMAT** (Beaumont de Lomagne 1601-Castres 1665) (F) Mathématicien français (par ailleurs magistrat à Toulouse) ; *les nombres de Fermat ; le petit théorème de Fermat ; le théorème de Fermat-Wiles.*

René **DESCARTES** (La Haye 1596-Stockholm 1650) (F) Mathématicien, physicien et philosophe français ; *la loi de réfraction de Descartes en optique ; les repères cartésiens en géométrie.*

Blaise PASCAL (Clermont-Ferrand 1623-Paris 1662) (F) Mathématicien, physicien et philosophe français ; *le triangle de Pascal ; mesures de pression (le Pascal Pa).*

Isaac NEWTON (1642-1727) (GB) Mathématicien et physicien anglais ; *théorie de la gravitation, décomposition spectrale de la lumière.*

Ole RÖMER (1644-1710) (DK) Astronome danois travaillant à l'observatoire de Paris ; *premières mesures de la vitesse de la lumière.*

Christian GOLDBACH (Königsberg 1690-Moscou 1764) Mathématicien russe ; *la conjecture de Goldbach.*

James BRADLEY (1693-1762) (GB) Astronome anglais ; *aberration de la lumière.*

Pierre-Louis Moreau de MAUPERTUIS (1698-1759) Mathématicien et académicien français.

Thomas BAYES (1702-1761) (GB) Mathématicien anglais ; *formule de probabilité des causes.*

Léonard EULER (Bâle 1707-Saint-Pétersbourg 1783) Mathématicien suisse ; *fondements de l'analyse (calcul différentiel) ; droite d'Euler en géométrie.*

Georges-Louis Leclerc de BUFFON (Montbard 1707-Paris 1788) (F) Naturaliste français, a laissé des résultats en mathématiques ; *aiguille de Buffon.*

Joseph-Louis LAGRANGE (Turin 1736-Paris 1813) (F) Mathématicien et physicien français ; *analyse des fonctions ; cordes vibrantes.*

Pierre-Simon marquis **de LAPLACE** (Beaumont en Auge 1749- Paris 1827) (F) Mathématicien, physicien et astronome français ; *équations différentielles, probabilités, déterminisme, mécanique céleste.*

Thomas YOUNG (1773-1829) (GB) Physicien et médecin anglais ; *expérience des fentes d'interférométrie.*

Carl-Friedrich GAUSS (Brusnwick 1777-Göttingen 1855) (D) Mathématicien allemand ; *analyses, probabilités.*

François ARAGO (Estagel 1786-Paris 1854) (F) Physicien, astronome et homme politique.

Joseph von FRAUNHOFER (1787-1826), Physicien allemand ; *inventeur de la spectroscopie.*

Augustin FRESNEL (Broglie 1788-Paris 1827) (F) Physicien et ingénieur ; *théorie ondulatoire de la lumière, lentilles de Fresnel.*

Gaspard-Gustave de CORIOLIS (1792-1843) (F) Physicien et ingénieur ; *la force d'inertie de Coriolis.*

Nikolaï LOBATCHEVSKI (Nijni Novgorod 1792-Kazan 1856) Mathématicien russe ; *géométrie à courbure négative.*

Léon FOUCAULT (Paris 1819-Paris 1868) Physicien français ; *pendule de Foucault, gyroscope.*

Bernhard RIEMANN (Hanovre 1826-1866) (D) Mathématicien allemand ; *calcul intégral, fonction zéta ζ, géométrie à courbure positive.*

James MAXWELL (Édimbourg 1831-Cambridge 1879) (GB) Physicien ; *unification de l'électricité et du magnétisme, les équations de Maxwell sur l'électromagnétisme en 1865.*

Georg CANTOR (Saint-Pétersbourg 1845- Halle 1918) (D) Mathématicien allemand ; *la « puissance du continu », les ensembles de Cantor.*

Wilhelm RÖNTGEN (1845-Munich 1923) (D) Physicien allemand, prix Nobel de physique 1901 ; *les rayons X.*

Henri BECQUEREL (1852-1908) (F) Physicien français, prix Nobel de physique 1903 ; *la radioactivité de l'uranium.*

Carl-Ferdinand von LINDEMANN (1852-1939) (D) Mathématicien allemand ; *transcendance de Π.*

Hendrik LORENTZ (1853-1928) (NL) Mathématicien et physicien néerlandais, président du congrès Solvay ; prix Nobel de physique 1912.

Henri POINCARÉ (1854-1912) (F) Mathématicien et physicien français ; *théorie du chaos, premières expressions de la relativité.*

Heinrich HERTZ (1857-1894) (D), Physicien allemand ; *ondes hertziennes, effet photoélectrique.*

Giuseppe PEANO (Cuneo 1858-Turin 1932) (I) Mathématicien italien ; *axiomes de l'arithmétique, courbe de Peano.*

Max PLANCK (1858-1947) (D) Physicien, prix Nobel de physique 1918 ; *théorie des quanta de rayonnement lumineux, constante de Planck.*

David HILBERT (Königsberg 1862-Göttingen 1943) (D) Mathématicien allemand ; *les espaces hibertiens, les vingt-trois problèmes de Hibert.*

Marie CURIE (Varsovie 1867-Paris 1934) (F) Physicienne et chimiste française ; prix Nobel 1903 et 1911 ; *la radioactivité du radium.*

Félix HAUSDORFF (Breslau 1868- Bonn 1942) (D) Mathématicien allemand ; *la dimension de Hausdorff (fractales).*

Helge von KOCH (1870-1924) Mathématicien suédois ; *la courbe fractale de von Koch.*

Louis BACHELIER (1870-1946) (F) Mathématicien français ; *travaux de probabilité et statistique.*

William RUTHERFORD (1871-1937) (GB) Physicien et chimiste anglais d'origine néo-zélandaise, prix Nobel de chimie 1908 ; *la découverte du noyau atomique.*

Herman MINKOWSKI (Lituanie 1864-Göttingen 1909) (D) Mathématicien allemand ; *espace-temps de la relativité restreinte.*

Bertrand RUSSELL (1872-1970) (GB) Philosophe et mathématicien britannique ; prix Nobel de littérature 1950 ; *le paradoxe de Russell ; la philosophie de la relativité.*

Albert EINSTEIN (1879-1955) (D) Physicien d'origine allemande, émigré aux États-Unis avant la Seconde Guerre mondiale ; prix Nobel de physique 1921 ; *la relativité restreinte et la relativité générale ; les quanta d'énergie lumineuse.*

Niels BOHR (1885-1962) (DK) Physicien et chimiste danois ; prix Nobel de physique 1922 ; *le modèle de l'atome de Bohr.*

Erwin SCHRÖDINGER (1887-1961) (Aut) Physicien autrichien, prix Nobel de physique 1933 ; *la fonction d'ondes de Schrödinger en mécanique quantique ; le paradoxe du chat de Schrödinger.*

James CHADWICK (1891-1974) (GB) Physicien et chimiste anglais, prix Nobel de physique 1935 ; *la découverte du neutron.*

Louis de BROGLIE (1892-1987) (F) Physicien français, prix Nobel de physique 1929 ; *la mécanique ondulatoire.*

Werner HEISENBERG (1901-1976) (D) Physicien allemand ; prix Nobel de physique 1932 ; *la relation d'incertitude d'Heisenberg en mécanique quantique.*

Paul DIRAC (Bristol 1902-Tallahassee 1984) (GB) Mathématicien et physicien anglais ; prix Nobel de physique ; *distributions de Dirac.*

Kurt GÖDEL (1906 Brnö Tchéquie-1978 Princeton) Mathématicien et logicien d'origine austro-hongroise, émigré aux États-Unis avant la Seconde Guerre mondiale ; *le principe d'indécidabilité, le principe d'incomplétude.*

Edward LORENZ (né en 1917 à West Hartford, Connecticut) (USA) Météorologiste et physicien américain ; *illustration de la théorie du chaos dans la prévision météorologique.*

Benoît MANDELBROT (né en 1924 à Varsovie) Mathématicien franco-américain ; *la géométrie fractale ; les applications des fractales à la finance.*

John BELL (1928-1990) (GB) Physicien britannique ; *l'inégalité de Bell en physique quantique.*

David RUELLE (né en 1935 à Gand) (B) Mathématicien et physicien franco-belge ; *la théorie du chaos et les attracteurs étranges.*

Alain ASPECT (né en 1947 à Agen) (F) Physicien français ; *résolution expérimentale du paradoxe EPR et des inégalités de Bell.*

Andrew WILES (né en 1953 à Cambridge) (GB) Mathématicien anglais ; *démonstration du grand théorème de Fermat en 1994.*

Remerciements

Je remercie Jean-Louis Basdevant et Gérard Jorland qui m'ont aidé dans les versions successives de ce livre auquel ils ont cru.

Merci à Fernando Sanchis de m'avoir mis entre les mains un livre de sciences qui me donna l'idée du projet.

Merci à mes camarades et amis Jean-François Bensahel, Patrice Brès, Salim Eddé, François Steiner, pour les idées qu'ils m'ont données.

Je remercie pour leur lecture du manuscrit et leurs remarques Christophe Jacquemin et Alexandre Lazareff.

Enfin, une pensée d'affection va à mon épouse et mes enfants qui ont discuté avec moi de l'hôtel de Hilbert, du jeu des trois portes, et qui ont calculé la surface d'un triangle équilatéral de côté a.

Table

CHAPITRE 4

Densité des nombres premiers

CHAPITRE 5

Des nombres parfaits et amicaux

CHAPITRE 6

Pythagore, Descartes, Euler, des constructions géométriques

CHAPITRE 7

π, un nombre vraiment transcendant !

CHAPITRE 8

Vivons-nous dans une géométrie euclidienne ?

CHAPITRE 9

Limites de la logique – le théorème de Gödel

CHAPITRE 10

Incertaines probabilités

CHAPITRE 11

Du pendule au gyroscope : voir tourner la Terre

CHAPITRE 12

Le son, une onde aux bonnes vibrations

CHAPITRE 13
Vitesse et nature de la lumière : 250 ans de Römer (1676) à de Broglie (1926)

CHAPITRE 14
Quelques notions de relativité restreinte

CHAPITRE 15
Preuves expérimentales et applications de la relativité

CHAPITRE 16
Et si Dieu existe, qui l'a créé, lui ?

CHAPITRE 17

De la main de Mme Röntgen à la fission nucléaire

CHAPITRE 18

La discontinuité quantique

CHAPITRE 19

Physique quantique, vérification et paradoxes

CHAPITRE 20

Les fractales de Mandelbrot

CHAPITRE 21
Le chaos déterministe

Ouvrage publié sous la responsabilité éditoriale
de Gérard Jorland

Cet ouvrage a été transcodé et mis en pages
chez NORD COMPO (Villeneuve d'Ascq)

N° d'impression : ◆◆◆◆
N° d'édition : 7381-2676-X
Dépôt légal : septembre 2011

Imprimé par Lightning Source France
1 avenue Gutenberg
78310 Maurepas

N° d'édition : 7381-1722-Y

Imprimé en France
FROC020708071020
25349FR00025B/464

9 782738 117229